FUKI-NO-TÔ

DU MÊME AUTEUR

LE POIDS DES SECRETS

Tsubaki, Leméac / Actes Sud, 1999; Babel n° 712, 2005; Nomades, 2015.

Hamaguri, Leméac / Actes Sud, 2000; Babel n° 783, 2007; Nomades, 2015.

Tsubame, Leméac / Actes Sud, 2001; Babel n° 848, 2007; Nomades, 2015.

Wasurenagusa, Leméac / Actes Sud, 2003; Babel n° 925, 2008; Nomades, 2015.

Hotaru, Leméac / Actes Sud, 2004; Babel n° 971, 2009; Nomades, 2015.

AU CŒUR DU YAMATO

Mitsuba, Leméac / Actes Sud, 2006; Babel n° 1123, 2012; Nomades, 2016.

Zakuro, Leméac / Actes Sud, 2008; Babel n° 1143, 2013; Nomades, 2016.

Tonbo, Leméac / Actes Sud, 2010; Babel n° 1286, 2014; Nomades, 2016.

Tsukushi, Leméac / Actes Sud, 2012; Babel n° 1380, 2016; Nomades, 2016.

Yamabuki, Leméac / Actes Sud, 2013; Babel n° 1470, 2017; Nomades, 2017.

L'OMBRE DU CHARDON

Azami, Leméac / Actes Sud, 2014.

Hôzuki, Leméac / Actes Sud, 2015.

Suisen, Leméac / Actes Sud, 2016.

Aki Shimazaki

FUKI-NO-TÔ

roman

LEMÉAC / ACTES SUD

Leméac Éditeur remercie le gouvernement du Canada, le Conseil des arts du Canada, la Société de développement des entreprises culturelles du Québec (SODEC) et le Programme de crédit d'impôt pour l'édition de livres du Québec (Gestion SODEC) du soutien accordé à son programme de publication.

Canadä

© LEMÉAC, 2017
ISBN 978-2-7609-1300-3

© ACTES SUD, 2017
pour la France, la Belgique et la Suisse
ISBN 978-2-330-08739-5

Imprimé au Canada

Je flâne dans le bosquet de bambous.

C'est le début de mars. À l'ombre, il reste encore de la neige ici et là. Je marche lentement sur la terre humide. Les camélias rouges au cœur jaune apparaissent entre les vieux bambous vert grisâtre. C'est une beauté simple et sereine que j'adore depuis mon enfance.

J'ai hérité de mon père ce terrain avec la maison et les champs situés plus haut. Je m'attache à cet endroit sauvage et tranquille et j'aimerais bien le laisser tel quel. Malgré tout, il est temps de le nettoyer afin de faire pousser de nouveaux bambous. Sinon, il deviendra un fourré impénétrable et l'opération me coûtera finalement très cher. Il faut agir bientôt.

Je suis née à M., une ville voisine d'U., village où j'habite maintenant avec mon mari et nos enfants.

Mon père était salarié. Lorsque j'ai eu dix ans, il a démissionné et a acheté dans ce village cette maison et ces terrains. Il rêvait de devenir fermier. Il a nommé sa ferme Tomo, forme abrégée de son prénom Tomohiko. Mes parents, qui vivaient toujours à M., se rendaient à la ferme en voiture. Durant mon adolescence, je devais les aider au champ les week-ends et pendant les vacances scolaires.

Je suis enfant unique. Mon père me traitait comme un garçon et me montrait comment me servir d'outils mécaniques et de grosses machines comme la charrue à soc et le cultivateur. Il semait des tubercules : daïkon, carotte, patate, betterave, bardane. Il a fait construire une grande serre pour les légumes-feuilles, notamment les épinards. Ma mère tâchait de s'habituer à la vie agricole, mais elle ne semblait pas vraiment heureuse.

La ferme Tomo marchait bien. Évidemment, mon père souhaitait que je lui succède. Cependant, après le lycée local, je suis allée à Nagoya étudier le commerce dans un *tandaï**. Cette métropole étant assez loin de M., j'habitais à la résidence universitaire. La vie urbaine me fascinait et je voulais continuer à vivre dans cette grande ville.

---

* Les mots en italique sont regroupés dans un glossaire en fin d'ouvrage.

Après mes études, j'ai trouvé un emploi à la revue *N.* à Nagoya. Comme je l'avais espéré, j'ai été affectée au service commercial. C'est là que j'ai rencontré mon mari, un des rédacteurs. J'avais vingt-six ans quand je l'ai épousé. L'année suivante, notre fille est née, puis notre fils trois ans après.

Alors que nous vivions encore à Nagoya, mon père est mort d'un cancer du foie. À cette époque, la vie campagnarde a commencé à me manquer. Puisque ma mère ne voulait plus être fermière, j'ai décidé de reprendre la ferme Tomo, mais à ma façon. Je visais l'agriculture biologique. Au début, j'allais au village avec les enfants seulement les week-ends, puis peu à peu, j'y suis allée en semaine sans eux. Mon mari m'y rejoignait de temps en temps pour m'aider.

La vie est imprévisible. Comme mon père, mon mari a soudainement quitté sa compagnie, après y avoir consacré quatorze ans. Il a fondé sa propre revue à *M.*, ma ville natale, et nous nous sommes installés ici, dans le village d'U.

Nos affaires à tous les deux marchent bien. J'espère que cela durera jusqu'à notre retraite. Actuellement, je m'occupe moi-même de la comptabilité et des autres tâches de bureau. Cela m'épuise. J'ai besoin d'une assistante. J'ai déjà mis une annonce dans la revue de mon mari, et jusqu'à maintenant, trois candidates se sont présentées, qui malheureusement ne convenaient pas vraiment. J'attends donc encore l'arrivée de la personne idéale.

Je sors du bosquet de bambous. Le soleil commence à se coucher. Il est presque six heures, je dois préparer le dîner. Après quelques pas, alors que je regarde la montagne, j'entends la voix de mon mari :

— Atsuko !

Je me retourne vers lui qui descend le sentier. Mitsuo est encore en complet-cravate. Cet après-midi, il a été invité à une réception à l'hôtel de ville de M. En s'approchant de moi, il me lance un sourire détendu :

— Les enfants ont faim ! Et moi aussi !

Je fixe son visage. L'image d'une femme effleure mon esprit : la maîtresse qu'il a eue il y a quelques années. Je ne l'ai jamais dit à Mitsuo, mais j'ai vu cette ex-amante une fois devant l'appartement qu'elle occupait. Elle « parlait » à son fils muet, manifestement métis. Il semblait avoir environ quatre ans, comme notre propre fils. La mère portait une robe de maison beige. J'avais été frappée par sa beauté et sa sensualité.

Je demande à Mitsuo :

— Qu'aimerais-tu manger ce soir ?

— Je pourrais préparer du riz au curry.

Je souris enfin :

— Les enfants seront ravis. On y va ?

— Attends !

Il cherche quelque chose dans la poche de sa veste :

— J'ai une bonne nouvelle pour toi.

— S'agit-il d'autres candidates pour le poste d'assistante ?

— Eh oui. J'ai reçu un appel peu avant ma sortie du bureau.

— C'est la quatrième personne. J'espère que ce sera ma dernière entrevue !

Il poursuit :

— Par sa façon de parler, elle me semblait tout à fait correcte.

— Elle est très jeune ?

— Non. D'après sa voix, je l'imagine dans la trentaine. Elle s'appelle madame Enju.

— Enju ? Je n'ai jamais entendu ce patronyme.

— Moi non plus.

Il me tend un bout de papier sur lequel sont notés un numéro de téléphone et le nom Fukiko Enju. Le prénom est écrit en *hiragana*, et le nom de famille en *kanji*. Il ajoute :

— Ce *kanji*, « 槐 », est difficile à lire. Elle m'a expliqué que c'est le nom d'un arbre souvent utilisé pour fabriquer des masques de théâtre nô.

— C'est intéressant. Où habite-t-elle ?

— Ça, je ne le sais pas.

Je pense aux pousses de bambou. Au début de mai, nous en récolterons avec le vieux couple voisin que j'engage au besoin. Leur goût et leur qualité sont toujours excellents. Les ventes augmentent d'année en année. Nous serons très occupés cette saison encore. Je souhaite vraiment que cette candidate soit la bonne.

Après quelques pas, je m'exclame :

— Regarde là ! Il y a des *fuki-no-tô* !

Mitsuo voit les bourgeons vert jaunâtre qui sortent entre les feuilles mortes humides. C'est la première fois qu'on en trouve ici. Excitée, je l'invite à en cueillir avec moi.

— Ce soir, mon chéri, on mangera aussi du tempura de *fuki-no-tô*.

— Bonne idée !

Je commence la cueillette en lui expliquant que les *fuki* portent des fleurs soit mâles, soit femelles, comme celles des épinards. Il s'étonne :

— Vraiment ? Je l'ignorais !

Il adore les pétioles et les feuilles de *fuki*, qui rappellent la rhubarbe. Je lui apprends fièrement comment poussent ces plantes. Chaque racine donne d'abord une fleur, puis des tiges partent horizontalement sous la terre. Celles-ci produisent ensuite des pétioles qui sortent de terre et finissent par porter chacune une feuille unique. Intrigué, Mitsuo m'interroge :

— Et les tiges demeurent tout le temps sous la terre ?

— Oui, elles restent invisibles.

— Sont-elles dures ?

— Oui, comme les racines.

— C'est curieux. Ces tiges souterraines sont comestibles ?

— Oh non ! Elles sont toxiques pour les humains.

Mitsuo arrache un *fuki-no-tô* en le tordant. Ses doigts longs habitués au travail de bureau sont maladroits. Son complet-cravate, qui n'est pas approprié pour un tel endroit, évoque de nouveau son ex-maîtresse.

— C'est une coïncidence, dit Mitsuo.

— Pardon ?

Déconcertée, je jette un coup d'œil sur son visage. Il me taquine :

— Cette candidate s'appelle Fukiko. Tu n'as qu'à l'engager !

Cela s'est passé il y a six ans, alors que nous vivions encore à Nagoya.

Un jour, j'ai reçu chez nous un coup de téléphone anonyme. Un homme m'a dit d'une voix basse :

— Votre mari a une aventure amoureuse. Êtes-vous au courant ?

— Pardon ?!

Ahurie, je l'ai interrogé :

— Que racontez-vous ? Qui êtes-vous ?

Il s'est moqué :

— Qui je suis ? Ce n'est pas important, madame ! Voudriez-vous en savoir davantage sur elle ?

J'étais ébranlée : « Mitsuo a une maîtresse ?! Depuis quand ? » La voix a poursuivi :

— Bon, je vais vous révéler son nom et son adresse. Notez-les au cas où vous voudriez un jour voir cette amante. Elle habite près du bureau de votre mari.

« Amante ! » Ce mot m'a rendue furieuse. « En plus, il la garde près de son travail ! Quel rusé ! » J'ai immédiatement cru qu'il passait son temps libre chez elle, chaque fois que j'allais à la campagne. Très fâchée, même contre ce dénonciateur, je voulais raccrocher. Néanmoins, j'ai saisi le stylo à bille posé sur le bloc-notes. L'homme a clairement énoncé chaque détail, puis il a raccroché sans ajouter un mot. Elle s'appelait Mitsuko T., un prénom ressemblant à celui de mon mari.

Cet incident s'est produit à une époque où nous étions *sex-less*. Je savais que Mitsuo fréquentait des *fûzoku-ten* comme des *pink-salon*, mais je fermais les yeux. Depuis la naissance de mon fils, je sentais encore moins qu'avant le désir sexuel, et lui, trop pris par son travail, ne rentrait que tard le soir. Cependant, cette fois-ci, je ne pouvais pas ignorer ce qu'il faisait dans mon dos.

Après, les choses se sont déroulées très vite.

Dès que Mitsuo a appris que je connaissais l'existence de sa maîtresse, il m'a demandé pardon. Il m'a promis de cesser de la voir. Sa décision a été tellement rapide que je craignais que sa promesse ne soit pas vraiment sérieuse. Apparemment, il craignait que je n'envisage le divorce. En outre, il m'a déclaré quelque chose de totalement inattendu :

— Atsuko, je vais quitter la revue *N*.

J'étais stupéfaite :

— Tu as décidé seul d'une chose aussi importante ?

— Désolé, j'y suis arrivé après mûre réflexion.

Cela me rappelait le moment où mon père avait annoncé à ma mère : « Je vais devenir fermier. » Il était un *shôsha-man* très actif avec de gros revenus. Je comprenais le trouble de ma mère, laquelle n'avait jamais imaginé être fermière. J'ai dit à Mitsuo :

— Comment peux-tu abandonner ce métier que tu adores ? En plus, tu es bien payé. Que veux-tu faire après ?

— Je n'abandonne pas mon métier. Je vais fonder ma propre revue. Tu sais bien que c'est mon rêve depuis longtemps, n'est-ce pas ?

— Oui, mais pourquoi si subitement ?

— J'ai trente-six ans déjà. C'est le temps. Si je ne le fais pas maintenant, je ne le ferai jamais. Cela a été ma conclusion.

— Où veux-tu faire ça ? Ici, à Nagoya ?

— Non, à M., ta ville natale qui me plaît beaucoup. Là-bas, tout est beaucoup moins cher, et c'est à moins d'une heure de voiture de Nagoya.

— Tu veux que nous vivions à M. ?

— Non, au village ! Tes affaires se développent. Ce sera mieux de vivre là-bas, surtout pour les enfants.

Il avait raison. Pourtant, à Nagoya, nous avions acheté une maison en comptant y vivre longtemps. En outre, je venais tout juste d'emprunter de l'argent à la banque en hypothéquant ma maison du village. C'était pour des équipements, des machines, une camionnette. J'ai demandé à Mitsuo :

— Que veux-tu faire de cette maison-ci ?

— On n'a qu'à la revendre ! Pour mon bureau, je pourrai louer un local à M. Le village n'est qu'à quinze minutes de voiture. C'est pratique !

Il était vraiment déterminé. Ainsi, il voulait rétablir notre vie conjugale, familiale et professionnelle en nous installant au village. Finalement, j'ai accepté sa décision en espérant que notre vie s'améliorerait.

Trois mois plus tard, Mitsuo a démissionné et s'est mis tout de suite à préparer ses affaires à M. Par l'entremise d'une agence immobilière efficace, il a rapidement vendu notre maison. « Quelle promptitude ! » J'ai été impressionnée par ses capacités d'organisation et d'action.

Ainsi, après avoir vécu huit ans à Nagoya, nous nous sommes finalement installés à U.

Mitsuo travaille énergiquement.

La revue qu'il a fondée s'appelle *Azami*. C'est un mensuel consacré à l'histoire régionale et aux nouvelles locales. Quand il a sollicité mes conseils pour un nom, j'ai proposé le mot *azami*, car la ville de M. est connue pour cette fleur sauvage. Il a accepté ma proposition après une courte réflexion. Cela m'a beaucoup plu.

Mitsuo s'intéresse à l'histoire et à la géologie. Il écrit régulièrement des articles pour sa revue, puis les publie en recueil. Il est souvent invité à faire des exposés dans des écoles de la région. Récemment, il a reçu une lettre de remerciement de la préfecture d'Aïchi. Sa revue se vend bien et a toujours suffisamment d'annonceurs.

À l'occasion, il fait de petits voyages d'une journée pour des enquêtes ou des interviews. Les destinations sont variées. À son retour, j'ai hâte d'entendre ses anecdotes. Il me demande mes commentaires sur ses articles. Je lui réponds plutôt en posant des questions.

En semaine, Mitsuo rentre vers six heures et dîne avec la famille, même avant la date de sortie. Au besoin, il continue, après le repas, à travailler dans sa chambre. Cela est très différent de l'époque où il était employé. En outre, il m'aide durant la saison des récoltes, surtout le week-end. Naturellement, il passe beaucoup de temps avec nos enfants, ce qui les ravit. Il les emmène souvent à son bureau pour leur confier des tâches simples. Moi aussi, je le visite quand mes activités agricoles m'occupent moins. Il nous montre ce qu'il est en train de faire.

Maintenant, comme moi pour la ferme, il décide seul de ce qui concerne ses propres affaires. Cela lui donne plus de motivation et d'énergie. Il ne regrette pas du tout d'avoir quitté son ancien travail, et je m'en réjouis.

Mitsuo est un citadin typique, comme ma mère. Né et élevé au centre de Nagoya, il n'imaginait pas pouvoir vivre dans ce village, un endroit si rustique et isolé. Malgré tout, il tente de s'y adapter peu à peu en participant aux travaux des champs. Je lui suis reconnaissante pour ses efforts.

Quant à nos enfants, une fille de treize ans et un fils de dix ans, ils vont à l'école du village. Vifs et actifs, ils me semblent plus heureux ici qu'en ville. Ils m'aident à la ferme sans rechigner.

Notre vie conjugale est redevenue normale comme au début de notre mariage. Nous formons une famille solide. Je crois que la décision de mon mari a vraiment été bénéfique pour nous tous.

Il est environ neuf heures du matin. Dans mon bureau, je mets en ordre les factures de cette semaine. Après quoi, j'irai dans la serre récolter des épinards.

Le téléphone sonne. C'est monsieur R., qui tient un restaurant à M. Un vieil ami de mon père et un de mes clients importants. Il veut commander à l'avance des pousses de bambou. Je l'informe qu'hier, j'ai trouvé un grand nombre de *fuki-no-tô* sur mon terrain. Aussitôt, il en commande une cinquantaine pour ce soir, ainsi qu'une boîte d'épinards comme d'habitude.

Je dois joindre madame Enju, celle qui a répondu hier à mon annonce. Mitsuo m'a dit qu'au téléphone cette candidate semblait correcte et il m'a encouragée à l'engager. Je me méfie beaucoup du jugement d'un homme sur une femme, de même que l'inverse. On verra.

Je compose le numéro de madame Enju. Après trois sonneries, j'entends une voix de jeune homme. Il crie : « Maman, c'est pour toi ! » Madame Enju arrive :

— Allô ?

— Je suis madame Kawano, la propriétaire de la ferme Tomo.

— Ah... Vous êtes...

Sa voix est hésitante. Je m'assure :

— C'est bien vous qui avez appelé hier la revue *Azami* ?

— Oui, tout à fait. Excusez-moi, je pensais que le patron était un homme.

C'est la même réaction que celle des trois candidates précédentes. Je l'interroge calmement :

— Femme d'affaires, cela vous dérange ?

— Oh non, madame ! Seulement, je ne m'y attendais pas. Je suis pleine d'enthousiasme, j'aimerais vraiment travailler à votre ferme.

— Quel âge avez-vous ?

— J'ai quarante ans.

Elle a mon âge. En écoutant sa voix agréable et claire, parfaite pour une réceptionniste, j'ai l'impression de l'avoir déjà entendue quelque part. Peut-être celle d'une présentatrice à la télévision. Je commence à lui poser les questions d'usage :

— Avez-vous déjà eu une ou des activités professionnelles ?

Elle répond franchement :

— Non. Après le lycée, je me suis mariée et, depuis, je reste à la maison.

Une femme au foyer typique. Je suis un peu déçue.

— Vous n'avez donc exercé aucun métier, même comme caissière à mi-temps ?

— Pas exactement. J'ai travaillé un an dans une entreprise de vêtements en tant que commis.

— Récemment ?

— Non, il y a dix ans. Je suis tombée malade et j'ai dû cesser.

Je pense : « Seulement un an d'emploi ? Et cela fait longtemps... » Je commence à douter. Je ne voudrais pas que mon employée abandonne ses fonctions si vite. Bien que mon espoir diminue, je poursuis les questions.

— Avez-vous des enfants ?

— Oui, j'en ai deux, une fille de vingt et un ans et un fils de dix-neuf ans. Les deux sont étudiants universitaires.

Je m'étonne : à quarante ans, elle a déjà des enfants si grands. Elle m'apprend que le cadet habite encore chez elle, et l'aînée en appartement. Elle ajoute :

— Je suis disponible la journée aux heures que vous demandez dans votre annonce, soit entre neuf heures du matin et quatre heures de l'après-midi.

— C'est parfait. À propos, avez-vous une compétence particulière ?

— Oui..., dit-elle timidement. J'ai un certificat de comptabilité commerciale de niveau deux.

Je réfléchis un moment. Mon assistante doit également s'occuper des factures et être efficace et précise en calcul. Je reprends espoir. Je lui lance ma dernière question :

— Où habitez-vous ?

— J'habite à H.

C'est une ville voisine de M. Dans ma tête, j'évalue le temps requis entre H. et le village. Il faut vingt minutes en voiture. Ce n'est pas loin pour elle. Je déclare :

— Bon, madame Enju, j'aimerais vous rencontrer. Venez alors à ma ferme demain avec votre curriculum vitæ.

Je suis étonnée par mon impulsion d'inviter ici cette inconnue. J'avais convoqué les trois candidates précédentes au bureau de mon mari à M.

— Bien entendu ! À quelle heure ?

— À deux heures de l'après-midi, si cela vous convient.

— Je serai là sans faute.

Elle raccroche, semblant satisfaite.

Je vais dans la serre récolter des épinards. Après, je retourne à la maison déjeuner. Je réchauffe les restes d'hier soir et mange seule en toute tranquillité.

Il est une heure, je ressors avec une boîte en carton pour cueillir des *fuki-no-tô*. Il fait beau. Je descends vers le bosquet de bambous.

Monsieur R. sera ravi des boutons floraux tout frais, avec lesquels il prépare des mets à son restaurant. Ce soir, j'en ferai bouillir pour les savourer simplement avec une sauce de soja légère.

Je finis ma journée à cinq heures et rentre chez moi. Les enfants font leurs devoirs chacun dans sa chambre. Bientôt, mon mari est de retour de son travail.

Mitsuo m'informe qu'aujourd'hui, deux autres femmes ont répondu à mon annonce. D'après lui, elles avaient l'air jeunes, peut-être au début de la vingtaine. Je lui raconte ma conversation téléphonique avec madame Enju. Il me sourit :

— J'ai l'impression que tu as déjà décidé d'engager cette femme.

Mitsuo va parfois à Nagoya pour ses affaires. Il quitte la maison tôt le matin et revient avant six heures du soir, après être passé quelques instants à son bureau de M. C'est un de ses petits voyages habituels, comme il en fait ailleurs. Néanmoins, chaque fois qu'il se rend à cette métropole, je me sens nerveuse en songeant à Mitsuko T., son ex-maîtresse. Elle vit peut-être encore là-bas, au même endroit, près de la revue *N*.

Nous ne parlons plus de cet incident d'il y a six ans, comme si de rien n'était. Mitsuo me semble fidèle à sa promesse. Avant tout, notre propre relation s'est sûrement améliorée. Cependant, un sentiment piquant me revient, quand il prononce les noms Nagoya ou *N*. Le souvenir de cette femme reste en moi comme une épine de chardon.

Mitsuo sait que c'est un inconnu qui m'a révélé son aventure amoureuse, mais il ne sait pas que j'ai vu sa maîtresse et son enfant, ne serait-ce que pour quelques instants. Je n'ose lui dire que je l'ai espionnée, même s'il m'a trompée. Devant lui, je n'ai jamais prononcé le nom Mitsuko T. Simplement, je lui ai posé des questions banales sur elle, lorsqu'il a reconnu sa liaison.

— Qui est-ce ?

— C'est une ancienne camarade d'école.

— Comment l'as-tu retrouvée ?

— Je l'ai croisée dans un café. Elle travaillait là comme serveuse.

— Depuis combien de temps vous voyez-vous ?

— Trois mois.

— A-t-elle des enfants ?

— Oui, un garçon.

— Quel âge a-t-il ?

— Il a quatre ans, comme notre fils. En fait, je ne l'ai jamais vu.

Confuse, je me demandais : « Mitsuo n'a jamais vu cet enfant ? Mais alors, où rencontrait-il sa maîtresse ? Au *love-hotel* ? Sait-il que le garçon est métis et muet ? » Je voyais qu'il voulait être franc quant à sa relation avec Mitsuko T. Si j'avais continué à l'interroger, il aurait continué à me répondre sans mentir. Au début, j'appréciais son honnêteté, mais finalement, je n'ai plus souhaité en savoir davantage.

J'étais blessée. En même temps, j'étais triste en songeant à notre vie conjugale. Mitsuo a renoncé à voir son amante parce qu'il avait peur du divorce et craignait de perdre sa famille.

Je comprenais sa crainte. Alors qu'il était bébé, sa mère a quitté son mari et même son fils pour vivre avec un autre homme. Pour lui, quoi qu'il arrive, il était important de préserver la famille, surtout de rester auprès de ses enfants.

Malgré tout, il y avait quelque chose d'incompréhensible pour moi dans son attitude. Comment a-t-il pu rompre tout d'un coup une relation amoureuse à cause de son épouse ? Comment a-t-il pu si facilement oublier une femme aussi belle et sensuelle ? Mitsuo s'est excusé : « Ce n'a été qu'une aventure. Je rompai avec elle immédiatement. » Je suis devenue sceptique. Comment peut-il avoir une idée aussi simpliste ? S'il l'avait aimée, il aurait dû aller jusqu'au bout, jusqu'à ce qu'il découvre son vrai sentiment envers elle et finalement envers moi. Si cela avait été le cas, j'aurais eu pitié de lui... mais aussi de moi vivant avec un homme dont le cœur est ailleurs.

J'éprouve toujours du dégoût pour l'homme qui m'a appris sans s'identifier la liaison de Mitsuo. Il s'amusait de ma réaction d'épouse trompée. C'était de mauvais goût. Je ne voulais pas savoir qui il était. Mon problème est de n'avoir pas résisté à la curiosité d'aller voir l'amante. Depuis, je ne peux pas ignorer ce que j'ai vu, cette femme tellement attirante et mystérieuse.

Mitsuko T. apparaît de temps en temps dans mes rêves.

Je me tiens debout devant une quincaillerie. De l'étage, elle descend avec son fils. Vêtue d'une robe sobre et sans maquillage. Le garçon parle à sa mère en langage des signes, celle-ci réagit de la même façon. Ils se sourient. J'observe la mère : poitrine saillante, taille fine, longs cheveux noirs relevés. Elle se tourne vers moi. Je l'appelle : « Madame T. ! »

Je me réveille et murmure : « Il faut que j'oublie tout ça. J'espère qu'elle disparaîtra un jour de ma mémoire. »

Dans mon bureau, je dépose soigneusement dans une boîte les *fuki-no-tô* que je viens de cueillir. C'est encore pour le restaurant de monsieur R. Leur fraîcheur est cruciale. Il viendra les chercher très bientôt.

On sonne à la porte. La pendule murale indique exactement deux heures. Ce doit être madame Enju, la quatrième candidate au poste d'assistante. Je me lève : « Bon ! J'apprécie les gens ponctuels. »

Curieuse, j'ouvre la porte. Une belle femme se tient debout devant moi, en tenue modeste. Elle porte un sac à bandoulière bleu foncé. Ses longs cheveux noirs sont liés en arrière. J'ai un sentiment de déjà-vu : « Qui est-ce ? » Elle me regarde avec ahurissement.

— Tu dois être Atsuko Mori...

Surprise, je la dévisage. Comment connaît-elle mon prénom et mon nom de jeune fille ? Hier au téléphone, je me suis présentée comme madame Kawano. Après quelques secondes, je m'écrie : « Ah ! » Je comprends maintenant qui c'est.

— Tu es Fukiko Yada !

Nous lançons presque en même temps :

— Incroyable !

Stupéfaites, nous nous fixons quelques instants.

Fukiko Yada était une de mes amies lorsque j'étais lycéenne. Cela fait vingt-deux ans que nous ne nous sommes pas revues. Il ne s'agit pas d'une amie quelconque. Elle avait une place spéciale dans ma vie. Je savais qu'après ses études, elle s'était mariée, mais j'ignorais son nouveau nom de famille.

— Entre.

Je l'invite dans mon bureau. Elle me suit sans un mot. Comme moi, elle doit être bouleversée. De telles choses arrivent, en effet : mon mari a retrouvé une camarade d'école primaire après plus de vingt ans.

Fukiko s'assoit sur le canapé et observe l'intérieur. Je lui sers une tasse de thé. Je cherche des mots, mais je ne sais quoi dire. Nous nous taisons un long moment. Elle boit son thé lentement. Je jette un coup d'œil sur sa peau soyeuse et souple. Soudain me passe par la tête la question : « Pourquoi as-tu disparu tout d'un coup ? »

Elle ouvre la bouche la première :

— Tu es finalement devenue fermière. Tes parents vont toujours bien ?

— Ma mère, oui. Mais mon père est mort il y a neuf ans d'un cancer du foie. Depuis, je tiens la ferme seule.

— Ton père est décédé si jeune... Je suis désolée.

Elle ne connaît pas mes parents ni moi les siens. Elle reprend :

— Qui est l'homme à qui j'ai parlé au téléphone ?

— C'est mon mari. Il est le patron d'*Azami*. Il l'a fondée tout seul il y a six ans.

— Alors c'est lui qui la rédige et la publie.

— Oui.

Je lui explique brièvement la carrière de rédacteur de Mitsuo, d'abord quatorze ans à la revue *N.*, ensuite six ans à son propre compte.

Fukiko change de ton :

— Mon époux est un lecteur assidu d'*Azami*. Il estime beaucoup la qualité de son contenu et de son écriture.

— Mon mari sera content de l'apprendre. Au fait, il m'encourage à t'engager.

Elle est étonnée :

— Comment ça, sans jamais m'avoir vue ?

— C'est ta voix. D'après lui, elle sonne bien au téléphone.

— Je suis flattée.

Elle sourit, avec les fossettes charmantes que j'aimais tant autrefois. Ses traits me paraissent plus fins qu'avant. Elle me rappelle une actrice dans un film classique, ou plutôt quelqu'un que je connais. Je poursuis :

— Hier, je n'ai pas reconnu ta voix, ni toi la mienne. C'est étrange, non ?

Nous fréquentions deux lycées différents, le sien privé et le mien public. Les deux écoles se trouvaient dans le même quartier d'une cité-dortoir de Nagoya. De ma ville, j'y allais en autobus et en train. Nous nous échangions des messages par écrit dans un cahier commun. Cela a duré une année, jusqu'à la fin de l'école.

Fukiko tient sa tasse de thé entre les mains. Je remarque sa montre de qualité. Elle répond :

— C'est normal. Nous ne nous étions parlé que trois fois.

— Seulement trois fois ?

Elle acquiesce de la tête et détourne son regard vers la fenêtre. Dans le cahier, chacune notait ses pensées sur la vie et la philosophie, des commentaires sur un film ou un livre. Et surtout ses sentiments envers l'autre. Nous n'étions pas des amies ordinaires. La nouvelle de son mariage m'a déprimée. C'était peu avant mon entrée dans un *tandaï* pour étudier le commerce.

Fukiko tourne la tête vers moi. Je perçois dans ses yeux de la tristesse ou un regret. Je me répète : « Pourquoi as-tu disparu tout d'un coup ? » Un sentiment aigre-doux m'étreint. Je l'interroge :

— Ton mari travaille toujours à la banque Yamato ?

Elle me dit d'un air ébahi :

— Comment connais-tu son métier ?

— Par quelqu'un qui connaissait ton frère.

— Il est maintenant directeur de la succursale de T.

— Vraiment ?

La banque Yamato est l'une des plus prestigieuses du Japon. Fukiko doit mener une vie aisée. Je ne comprends pas pourquoi elle cherche un emploi à un salaire si minime. De toute façon, quelle que soit sa situation financière, je ne veux pas qu'elle vienne ici seulement pour tuer le temps.

Fukiko me fixe sérieusement :

— Peux-tu m'engager ?

— Ça me met mal à l'aise de devenir ta patronne.

Elle insiste :

— Essaie au moins. Si je ne fais pas l'affaire, tu n'auras qu'à me congédier.

Je réfléchis. Nous ne sommes plus amies. Le passé est le passé. Si elle ne s'entend pas avec moi, elle partira. Quand même... Alors que je cherche quoi dire, elle ajoute :

— Je ne te quitterai pas subitement comme autrefois.

— Pardon ?

— Je regrette toujours ce que je t'ai fait.

— Tu t'en souviens…

— Bien sûr ! Comment pourrais-je l'avoir oublié ? Je te demande pardon maintenant.

Sa voix est claire et assurée, mais sa tasse tremble dans ses mains. Ses yeux sont humides. Je n'aime pas tomber dans le sentimentalisme. Je lance joyeusement :

— Tes excuses sont acceptées ! Tournons la page !

— Alors, vas-tu m'engager ?

— Donne-moi d'abord ton C.V. Je te poserai quelques questions. Ma décision sera prise après.

Elle sort une enveloppe de son sac à bandoulière en denim. Mon regard se pose sur ce tissu bleu. Celui-ci me rappelle la couverture de notre cahier. Le conserve-t-elle encore ?

Elle me tend son C.V. et son certificat de comptabilité commerciale de niveau deux. Je parcours rapidement les documents et y trouve ce qu'elle m'a expliqué au téléphone : un an dans une entreprise de vêtements à titre de commis. Dans la case passe-temps, il est écrit : écouter de la musique classique, aller au théâtre, faire de la couture et jardiner. Elle habite une *mansion* dans un quartier chic de sa ville, H. Je l'interroge :

— Où fais-tu ton jardinage ?

— Seulement sur le balcon de mon appartement. Je cultive des fleurs, des herbes et quelques légumes. J'adore ça. Te souviens-tu de mon rêve ?

Je suis désorientée :

— Ton rêve ?

— Oui. Je rêvais d'avoir une ferme dans un environnement merveilleux comme ici. Mon oncle paternel en tenait une, vaste, près de ma ville natale. Adolescente, j'allais souvent l'aider.

— Ma ferme est petite. Le salaire horaire est de mille yens, comme je l'ai indiqué dans mon annonce. Ce n'est pas grand-chose pour toi, mais c'est le montant que je pourrais t'offrir en ce moment. Bien sûr, si tu veux, tu pourrais gratuitement prendre des légumes...

Elle m'interrompt :

— Ne t'inquiète pas, Atsuko. Je ferai de mon mieux, quelles que soient tes attentes, au bureau ou dans les champs.

Je décide enfin :

— Bon, tu es engagée ! Commence lundi prochain à neuf heures du matin. Je te préparerai des tenues de bureau et de champ.

Elle sourit largement avec ses charmantes fossettes.

On sonne à la porte. Monsieur R. vient chercher ses *fuki-no-tô*. Je la lui présente :

— Voici ma nouvelle assistante, madame Enju.

Les yeux écarquillés, il la dévisage, apparemment saisi par sa beauté. Il s'incline vers Fukiko qui le salue amicalement. Je lui donne la boîte qu'il ouvre pour regarder le contenu. Il s'exclame :

— Que c'est beau, ces *fuki-no-tô* ! Ce sont eux qui annoncent le printemps. J'espère que ce sera une magnifique saison.

Il règle la facture et part en chantonnant.

Fukiko me dit :

— J'ai un frère et une sœur aînés. Ma mère, qui souhaitait une autre fille, s'est réjouie à ma naissance et m'a nommée Fukiko – enfant du pétasite. Malheureusement, je n'étais pas la fille que mes parents espéraient.

Elle lève les yeux vers le ciel bleu pâle en ce début de printemps. Je jette un coup d'œil sur son visage distingué et féminin.

Mitsuo est de retour de son travail.

Je lui parle de ma nouvelle assistante. Il est content pour moi :

— Tu as finalement engagé madame Enju. Je m'en doutais !

Pourtant, il est surpris d'apprendre que cette candidate était mon amie de lycée que je n'avais pas revue depuis la fin de l'école. Je lui répète :

— C'était tout à fait un hasard.

Il murmure :

— Comme le monde est petit...

Il se tait quelques instants. Je perçois une sorte d'embarras sur son visage. J'imagine qu'il songe à ses retrouvailles avec Mitsuko T. En avait-il été amoureux lorsqu'ils étaient à l'école ?

— Mitsuo, tu peux l'appeler par son prénom, Fukiko.

Il hoche la tête. Puis il raconte sa journée chargée. Il est en train de rédiger un article sur un village voisin où on a récemment trouvé des vestiges de l'époque Jômon. Le sujet m'intéresse, mais je n'écoute que d'une oreille.

En effet, mon esprit n'est pas calme depuis cet après-midi. Je pense sans cesse à Fukiko. Mon cœur bat. Qu'est-ce qui se passe en moi ? L'avoir comme assistante me trouble à nouveau. Si j'avais su que c'était elle au téléphone, je n'aurais sans doute pas accepté l'entrevue. Hélas, c'est trop tard !

Je reste distraite. Mitsuo me regarde dans les yeux :

— Qu'est-ce qu'il y a ?

Je reviens à moi :

— Rien.

Brusquement, il lance :

— Atsuko, nous allons prendre des vacances !

— Des vacances ?

— Oui, un voyage à nous deux.

— Tu veux dire sans les enfants ?

— Oui. Ça fait longtemps que nous ne sommes pas sortis ensemble.

— Mais où ?

— On pourrait visiter l'île de Sado que tu voulais voir un jour.

— L'île de Sado ? C'est chouette !

Satisfait, il me sourit. J'ajoute :

— Mais je dois d'abord former Fukiko pour qu'elle s'habitue à son travail.

— Bien sûr ! J'espère qu'elle sera efficace comme toi.

La nuit venue, j'ai du mal à m'endormir.

Mon esprit est agité par des réminiscences de l'époque de ma rencontre avec Fukiko. Mes souvenirs enfouis émergent soudain à la surface. Je me rappelle maintenant des événements en détail, que j'avais complètement oubliés pendant toutes ces années, surtout depuis mon mariage.

Mitsuo respire paisiblement dans son sommeil. Dans ma tête, je lui parle : « Comme moi, tu as dû être vraiment ému lorsque tu as retrouvé ton ancienne camarade après tant d'années. Sa féminité a sûrement dû te frapper. »

Soudain, je me rends compte d'une autre coïncidence : Fukiko ressemble à son ex-maîtresse ! Mon cœur bat. Mitsuo sera certainement troublé quand je lui présenterai ma nouvelle assistante.

C'était au début de ma dernière année de lycée.

À notre école, la radio étudiante diffusait de la musique classique à la pause de midi. Chaque jour, on choisissait et présentait quelques pièces selon les demandes reçues. On donnait aussi des nouvelles concernant l'école.

Un jour, alors que je prenais mon *bentô* avec une camarade, on entendit la présentatrice annoncer :

— Aujourd'hui, je vous présente l'intermezzo de l'opéra *Carmen* de Bizet. Cette demande est arrivée par la poste, ce qui est une première ! L'expéditeur s'identifie seulement par l'initiale F. et le nom du lycée voisin B. Et la musique est destinée à Atsuko Mori en troisième année. C'est un morceau magnifique. Je suis sûre qu'il vous transportera pour quelques instants dans un univers romantique. Profitez-en !

Ma camarade me cria :

— Hé, c'est pour toi, Atsuko !

J'étais stupéfaite :

— F. ? Qui est-ce ? Je ne connais personne de ce lycée.

— Ça doit être un admirateur secret !

J'étais toute rouge. Le son d'une harpe calme commença, puis celui d'une flûte. Au collège, on avait étudié cette pièce au cours de musique et je l'avais adorée. Tout le monde connaissait cet opéra, surtout avec ce mouvement merveilleux de l'intermezzo. C'était mon favori. Mais comment ce garçon F. le savait-il ? Je chuchotai à ma camarade :

— Il a bon goût, n'est-ce pas ?

— Oui. Il a de la classe par son choix et sa manière d'envoyer un message amoureux. J'ai hâte de savoir qui c'est.

En écoutant la mélodie douce, j'imaginais un beau garçon. Je n'avais pas encore de copain proche. J'étais excitée : « Quelqu'un pense à moi ! » Ce lycée B., privé et huppé, était reconnu pour être une porte d'entrée vers les meilleures universités. Cet établissement faisait rêver beaucoup de monde. J'avais souhaité y aller, mais mon père s'y était opposé : il n'aimait pas la mentalité élitiste.

La musique se termina. Ma camarade se mit à énumérer des noms de famille :

— Fujimoto, Fujiwara, Fukagawa, Fujita, Furuta, Fukuyama, Fujimori...

Je l'interrompis :

— Ou bien Fujio, Futoshi, Fumio.

— Un prénom ? Pourquoi pas ? Je connais un garçon qui s'appelle Fuminosuke à ce lycée-là. Il est très intelligent, mais un peu bizarre. Il n'est pas pour toi.

Je ris :

— Fuminosuke ? Quel nom archaïque !

Cet incident m'agita pendant quelques jours. Exprès, je passai trois fois devant le lycée B. en espérant croiser l'élève en question. Mais rien ne se produisit. Aucun ne m'adressa la parole. Je finis par croire que c'était vraiment un admirateur secret, comme le disait ma camarade.

Quelques semaines s'écoulèrent. Alors que je ne pensais plus sérieusement à cette histoire, je fus abordée par une fille devant mon école. Elle portait l'uniforme du lycée B.

— Tu es Atsuko Mori, n'est-ce pas ?

— Oui...

Je ne l'avais jamais remarquée. Elle me fixait. Je ne savais pas pourquoi, mais j'éprouvais un sentiment fort et étrange à la fois. Elle se présenta :

— Je m'appelle Fukiko Yada.

Elle baissa les yeux. Je me répétai : « Fukiko Yada ? » Je compris enfin que F. n'était pas un garçon mais une fille. Ébahie, je m'assurai :

— C'est toi qui m'as offert la musique de Bizet ?!

— Oui.

Elle sourit avec ses fossettes charmantes et me demanda :

— La musique t'a plu ?

Je me sentais encore désorientée :

— Oui, beaucoup. Mais...

— Tu pensais que c'était un garçon, n'est-ce pas ?

Je hochai la tête. Le regard enfiévré, elle me fixait. Elle semblait vouloir me dire quelque chose encore. Je restai immobile, comme si j'avais été ensorcelée. Elle me tendit une enveloppe :

— C'est pour toi, Atsuko.

J'hésitai à la prendre. Elle insista :

— S'il te plaît !

Dès que je la pris, elle me quitta sans attendre ma réponse. L'enveloppe paraissait contenir un livre. Un autre cadeau ? J'avais des palpitations, comme si j'avais reçu une lettre d'amour.

J'allai dans un jardin public. Assise sur un banc, j'ouvris l'enveloppe. C'était un cahier cartonné, recouvert d'un denim bleu foncé. Il y avait deux images de *fuki-no-tô* vert jaunâtre brodées au bas du plat supérieur. J'étais impressionnée par son originalité. Ce devait être elle qui avait fabriqué cette couverture. Il y avait une lettre dedans.

« Bonjour, Atsuko,

J'espère que mon apparition subite ne t'a pas trop déconcertée. J'avais besoin de communiquer avec toi.

Une fois, je t'ai vue dans le train. Tu bavardais avec des camarades de ton école. Celles-ci t'appelaient : "Atsuko-*san*" ou "Mori-*san*" J'ai compris que tu étais comme moi en troisième. Vous discutiez passionnément de l'opéra *Carmen*. J'aime la musique classique et le théâtre. Je souhaite depuis longtemps avoir une amie comme toi.

Je voudrais bien que nous échangions des idées ou des opinions sur n'importe quel sujet. Si tu es d'accord, réponds-moi dans ce cahier et rends-le-moi vendredi prochain. Je t'attendrai devant mon école à cinq heures. Si ma proposition ne t'intéresse pas, garde simplement ce cahier pour toi.

Fukiko »

Lundi, comme prévu, Fukiko commence à travailler à ma ferme.

Je lui explique ses tâches de bureau. Elle a l'air très avide d'apprendre et me pose des questions pertinentes. Ses yeux brillent de curiosité. Ensuite, nous récoltons des épinards biologiques dans la serre. Elle déracine les légumes soigneusement et efficacement. Son expression est animée.

Après la pause de midi, nous allons cueillir des *fuki-no-tô*. Monsieur R. a besoin d'une boîte pour ce soir.

Il fait beau. Chacune de nous prend un panier et un couteau. Fukiko me suggère d'emporter aussi du papier journal mouillé. C'est une bonne idée, car ainsi, on peut préserver la fraîcheur de ces jeunes plantes délicates. Elle me suit en portant des bottes de caoutchouc de ma mère que j'ai trouvées dans le débarras.

Nous descendons le sentier. Je l'informe que ce sera bientôt la saison des pousses de bambou et que le vieux couple voisin viendra nous aider à les récolter. En parlant, je songe à notre voyage, Mitsuo et moi, à l'île de Sado. Je réfléchis : « Irons-nous avant ou après les récoltes ? »

Les rossignols chantent dans les pruniers. Fukiko s'exclame :

— Ah, l'odeur du printemps ! Quel bonheur de marcher dans l'air frais !

Elle se comporte naturellement comme si « notre passé » n'avait pas existé, ce qui me rassure. Je me sens déjà à l'aise avec elle.

Nous commençons à cueillir des *fuki-no-tô*. Elle coupe habilement chaque tige florale avec un couteau, sans en abîmer la racine. Quinze minutes plus tard, son panier est presque rempli tandis que le mien ne l'est qu'à moitié. Je la félicite :

— Tu es adroite !

Elle était une femme au foyer typique jusqu'à récemment. Faire la cuisine pour son mari et deux enfants actifs, confectionner des vêtements, prendre soin en outre de sa belle-mère malade, morte il y a quelques années. Pour faire tout cela, pensé-je, elle doit avoir un bon sens de l'organisation.

Soudainement, Fukiko me déclare :

— Je suis en train de divorcer.

Je m'arrête, ahurie :

— Divorcer ?!

Elle répond sans interrompre son mouvement :

— Ne sois pas si dramatique, Atsuko! Il
s'agit d'une séparation par consentement
mutuel. Il a déjà une petite amie.

Je bégaie :

— Une petite amie ? Co... comment ça ?

— Calme-toi. Tout va bien chez nous.
Seulement, je veux que tu le saches.

Je suis toujours désorientée.

— Fukiko, pourquoi tu ne m'as pas dit ça
lors de ton entrevue ?

— Excuse-moi. De toute façon, cela ne
changera rien à mon travail ici. Je suis heureuse de recommencer ma vie.

Je jette un coup d'œil sur son profil. Elle
n'est pas maquillée. La peau soyeuse, les cils
noirs et longs, les lèvres sensuelles. Je détourne
les yeux. Elle continue de bavarder. Mes mains
restent immobiles alors que les siennes sont
toujours affairées.

— Néanmoins, dis-je, arriver à cette décision a dû être difficile pour vous deux.

— Pas tellement. Lorsque j'ai décou-
vert qu'il avait quelqu'un, j'étais plutôt
soulagée.

— Tu ne l'aimais donc plus.

— Si. Je l'aime bien toujours. C'est un
homme gentil et responsable. Un papa atten-
tionné et un bon travailleur.

Elle décrit son mari comme je le ferais pour Mitsuo.

— Fukiko, comment as-tu réagi au fait qu'il te trompait ?

— Je l'ai compris, car nous étions *sex-less*. C'est un homme normal qui a besoin de quelqu'un d'autre que moi. D'abord, nous ne sommes pas faits l'un pour l'autre.

— Alors, tu n'es pas jalouse ?

— Non. Au contraire, je suis contente. Il a enfin rencontré une femme pour lui. Il la mérite. Ma fille et mon fils s'entendent bien avec elle.

Je la taquine :

— Si toutes les femmes raisonnaient comme toi, tous les hommes se réjouiraient.

Elle rit. L'expression de son visage est libre et rayonnante. Son charmant sourire avec fossettes m'émeut toujours.

Un moment, je reste pensive. Mitsuo et moi avons été *sex-less* pendant plusieurs années. Et il a entamé une liaison avec Mitsuko T. J'ai évidemment été ébranlée. Néanmoins, je n'ai pas été paniquée ni inquiétée par l'éventualité d'un avenir sans lui.

Tout en parlant, Fukiko n'arrête pas de cueillir des *fuki-no-tô*. Sans que je m'en rende compte, elle remplit même mon panier. Je la félicite encore.

— Malheureusement, dit-elle, mon mari et moi ne possédons pas la chimie qui colle l'un à l'autre.

Déconcertée, je répète :

— La chimie ?

— Oui. L'amour qui unit un couple. Les deux qui s'aiment sans conditions ni raisons particulières, comme liés par une chaîne invisible.

Je me tais. Je me rappelle son regard enfiévré lorsqu'elle m'avait adressé la parole devant mon lycée. Bien que son geste m'ait surprise, je n'avais pas eu un sentiment négatif. J'avais éprouvé plutôt un sentiment de confusion que je n'avais jamais ressenti envers une fille.

Fukiko continue :

— Je ne peux pas aimer un homme comme une femme « normale ». Sans être sûre de ma nature, j'ai fait énormément d'efforts pour que notre mariage fonctionne.

Sa parole me pique au cœur. Énormément d'efforts contre sa nature afin que le mariage marche ? Je songe à Mitsuo, un citadin typique, qui tente de s'adapter à la vie rustique. Chaque fois qu'il va à Nagoya ou à une autre grande ville, il a l'air joyeux comme un poisson qui retourne à l'eau.

Fukiko ramasse son panier rempli :

— Quelle excellente récolte ! On en a assez ?

— Oui...

— On s'en va alors !

Elle remonte le sentier à pas assurés et stables. Je la suis en silence, troublée par son expression « sans être sûre de ma nature ».

Vers six heures du soir, Mitsuo rentre à la maison. Il me raconte sa journée au bureau, et moi, la mienne à la ferme.

— Comment est ta nouvelle assistante ?

— Fukiko est excellente ! Nous nous entendons vraiment bien.

— Mon intuition était juste ! J'ai hâte de faire sa connaissance.

Je me tais un moment. J'imagine sa réaction quand il rencontrera Fukiko, si féminine et sensuelle, ressemblant à son ex-maîtresse. Je lui propose :

— Je compte organiser un dîner de bienvenue pour elle, au restaurant de monsieur R. Ma mère et nos enfants seraient là aussi. Peut-être un vendredi soir.

Le restaurant est situé tout près de son bureau et il pourrait y aller directement après son travail. Content, il me répond :

— D'accord. Je serai là sans faute.

Il souhaite aussi faire un jour la connaissance du mari de Fukiko, un lecteur assidu d'*Azami*. Je lui apprends que monsieur Enju est directeur de la succursale de T. de la banque Yamato. Apparemment, cette nouvelle le surprend. Je m'abstiens de lui parler de leur divorce en cours.

Mitsuo étale sur la table des prospectus touristiques colorés. Une grande île entourée par la mer émeraude me fascine immédiatement. Je m'exclame :

— C'est l'île de Sado !

— On va voyager là-bas, seulement nous deux, comme convenu.

Je lui demande :

— Avant ou après la récolte des pousses de bambou ?

— Je serai fort pris en mai. Mieux vaut y aller avant. J'espère que ta mère pourra garder les enfants.

— Maman ? Il n'y aura pas de problème. Tu sais bien qu'elle nous encourage à faire des voyages sans eux.

Mitsuo m'apporte un calendrier et nous examinons des dates envisageables. Il me suggère de prendre quatre jours enjambant un week-end après la sortie du prochain numéro. Ce qui est idéal pour Fukiko : elle n'aura à s'occuper seule du bureau qu'un vendredi et un lundi.

Je réfléchis. Mitsuo n'aime pas en général passer des vacances dans des endroits tranquilles et isolés. Il choisit toujours une grande ville quand nous voyageons en famille. Le camping, entre autres, est hors de question pour lui. Sa proposition de visiter l'île de Sado, c'est donc vraiment pour me plaire.

Je m'assure :

— Mon chéri, es-tu certain ? On pourrait changer de destination, aller à Kyoto ou Kobe, par exemple.

Il me répond spontanément :

— Ne t'inquiète pas pour moi ! J'aimerais bien rédiger un court récit de voyage. Je te suivrai partout sur l'île.

Les enfants nous rejoignent à la table et regardent les prospectus. Comme moi, ils admirent la mer émeraude, les rochers, la plage. Il y a aussi des forêts, des champs de fleurs, des sentiers montagneux. Ils préfèrent que leur grand-mère vienne chez nous pendant notre voyage. Je téléphone à ma mère, et celle-ci accepte avec plaisir. Je dis à Mitsuo :

— Il ne reste qu'à réserver un logement. Je trouverai un *ryokan* raisonnable pour notre budget.

Nous dînons. Les enfants bavardent entre eux. Mitsuo mange d'un air pensif. Il doit réfléchir à un de ses articles. Je l'imagine écrivant un texte et lisant le journal sur le bateau, dans le *ryokan*, sur la plage. Ma fille nous demande :

— Quand avez-vous voyagé pour la dernière fois sans nous ?

Je réponds :

— C'était lors de notre voyage de noces.

— Il y a quatorze ans !

— Tu es née l'année suivante, puis ton frère. Depuis, nous voyageons toujours avec vous.

— Vous pouviez compter sur grand-mère.

— Cette idée ne nous est pas venue. En tout cas, tous les deux, vous sortirez bientôt avec vos amis. C'est bien que nous ayons passé nos vacances en famille.

Mon fils m'interrompt :

— Maintenant, nous nous débrouillons bien. Profitez-en !

Mon mari rit :

— Ah, nos enfants sont très gentils !

Après le dîner, j'observe de nouveau les photos sur les prospectus : la mer, un grand ferry, une plage, des goélands volant au-dessus des rochers. J'adore la nature pure et sauvage. Je jette un œil sur Mitsuo, en train de prendre son thé, toujours pensif. Les paroles de Fukiko me traversent l'esprit : « Sans être sûre de ma nature. »

Fukiko travaille toujours avec zèle et effi-
cacité.

Elle comprend mieux la comptabilité que
moi. En me donnant des suggestions utiles,
elle expédie ses affaires rapidement. Elle ne
ménage pas sa peine pour nettoyer le hangar,
rempli d'outils et d'instruments agricoles.
Régulièrement, elle range le débarras situé
au fond du bureau. Il y a maintenant plus
d'espace pour l'atelier. Tout s'améliore
depuis son arrivée.

J'ai vraiment sous-estimé ses capacités.
C'est embarrassant d'engager quelqu'un
comme elle à si petit salaire, mais, avec mon
budget limité, je ne suis pas en mesure de
l'augmenter. Je lui propose de prendre le repas
du midi chez moi, ce qu'elle accepte.

Aujourd'hui, j'emmène Fukiko au bosquet
de bambous qu'elle n'a pas encore vu. En
revenant, nous pourrons cueillir des *fuki-
no-tô*. Ce sera l'une des dernières récoltes de
la saison. Monsieur R. attend mon appel pour
venir chercher une boîte comme d'habitude.

Le ciel est légèrement couvert. Fukiko et moi descendons le sentier en portant nos bottes de caoutchouc. Je l'informe que bientôt je ferai un petit voyage à l'île de Sado avec mon mari et qu'elle sera seule pendant deux jours, vendredi et lundi.

— L'île de Sado ? C'est un endroit que j'aimerais bien visiter un jour. Vous partez avec les enfants ?

— Non, ma mère viendra les garder chez nous.

— Ah bon...

J'ajoute que ce sera notre première sortie en couple depuis le voyage de noces. Elle ne dit rien pour m'encourager, comme « Bonne chance ! » ou « Je suis contente pour toi ! » Au contraire, elle me questionne :

— Tu l'aimes ?

— Pardon ?

Ébahie, je la regarde. Elle s'excuse :

— Désolée, je suis indiscrète.

Trop tard : cette question me préoccupe depuis quelque temps. Fukiko n'a pas encore rencontré Mitsuo. Demain, je vais les présenter l'un à l'autre au restaurant de monsieur R. Je lui demande :

— Pourquoi cette question ?

— D'après ta façon de parler de ton mari, j'ai l'impression que vous vivez comme frère et sœur. Comme chez nous.

Malgré moi, je lance :

— Pourquoi as-tu impulsivement épousé cet homme ? Étais-tu vraiment amoureuse de lui ?

Je m'arrête. Honteuse, je me dis : « Pourquoi ai-je dit ça ? »

Fukiko lève les yeux vers le ciel nuageux. Un sentiment amer me revient. La nouvelle de ses fiançailles m'avait bouleversée et déprimée. Heureusement, mon concours d'entrée au *tandaï* était déjà passé. Sinon, j'aurais eu beaucoup de mal à réussir l'examen.

Nous entrons dans le bosquet de bambous. La neige a déjà fondu. Entre les vieilles plantes vert grisâtre, Fukiko remarque les camélias rouges au cœur jaune. Elle murmure :

— Le rouge et le gris, comme la lumière et l'ombre...

Puis elle répond à ma question :

— J'ai couché avec un homme pour prouver que j'étais « normale ».

Sidérée, je fixe son visage. Je ne m'attendais pas à cette réponse.

— Un homme ? Tu parles de ton mari ?

— Oui. Il était un ami de mon frère.

— Mais pour le prouver à qui ?

— À mes parents qui s'inquiétaient de ma conduite. Ils craignaient que je ne devienne comme ma cousine, la nièce de mon père, qui ne sortait qu'avec des filles. Celle-ci refusait de se marier. Un jour, elle s'est suicidée. Elle avait trente-cinq ans.

Cela me revient vaguement en mémoire. Fukiko m'avait raconté dans notre cahier commun l'histoire de cette cousine. Je continue :

— Pourquoi ? À cause de sa famille qui avait honte de son identité sexuelle ?

— C'est ce qu'on a imaginé, mais la réalité ne semble pas si simple.

— Que faisait-elle comme métier ?

— Ma cousine était présentatrice de télévision. Elle s'appelait Yumi Y. Une agence s'occupait de ses affaires. Là, Yumi était follement amoureuse d'une employée, une attachée de presse. Lorsqu'elles sortaient ensemble, on croyait que c'était pour des raisons professionnelles.

— La famille de ta cousine était déjà au courant de...

— De sa sexualité ? Oui, mais ses parents lui demandaient de rester discrète là-dessus, de ne pas faire de *coming out*. Comme les miens, ils venaient d'une vieille famille traditionnelle, et Yumi les comprenait bien.

— Qu'est-ce qui est arrivé ?

— Ma cousine devenait populaire dans son métier. Sa petite amie ne supportait pas de demeurer dans l'ombre et désirait que Yumi parle ouvertement de leur relation.

— Puis ?

— Yumi l'a présentée à ses amis et à sa famille proche. Ses parents essayaient de respecter son « choix ».

— Ça, c'était bien, quand même.

— Mais ce n'était pas assez pour sa petite amie. Celle-ci voulait être publiquement reconnue et insistait pour que Yumi annonce leur relation dans son émission.

— Pauvre cousine... Elle était alors coincée.

— Effectivement.

— Puisqu'elle n'a pas réagi selon le désir de sa petite amie, celle-ci a dévoilé leur relation dans un magazine de potins. On ne sait pas ce qui s'est passé ensuite entre elles. Seulement, on a appris que ma cousine était morte après cet incident. Cela fait plus de trente ans, mais les habitants de sa ville natale se souviennent encore de cette histoire.

En l'écoutant, je me rappelle l'histoire presque identique d'une chanteuse talentueuse et dynamique. J'avais environ dix ans. Bien que cette artiste fût très populaire, elle a tout d'un coup disparu des écrans de télévision. C'était à cause de son amoureuse qui avait divulgué leur relation sexuelle aux médias. Être homosexuel, c'était scandaleux à l'époque. Maintenant, des célébrités font leur *coming out* avant qu'on en fasse des potins. Néanmoins, ce sujet est encore délicat dans la vie privée.

Je m'assure :

— Alors, tu t'es mariée avec l'ami de ton frère.

— Oui.

Je me souviens qu'elle m'avait mentionné l'ami de son frère dans notre cahier, un jeune homme qui travaillait dans une banque. Elle continue :

— Il voulait sortir avec moi. J'ai accepté pour calmer mes parents, et après quelques rencontres, voilà que je suis tombée enceinte. Il m'a proposé le mariage, et trois mois plus tard, nous avons célébré les noces.

— Tu n'avais que dix-huit ans. Comment tes parents ont-ils réagi à ton mariage si jeune ?

— Ils étaient surpris, surtout de ma grossesse. Mais ils aimaient bien ce jeune homme instruit qui avait déjà un bon emploi. Ils n'avaient pas d'objection. Au contraire, ils étaient contents, rassurés que je sois finalement « normale ».

Le ciel est un peu dégagé. Je demande à Fukiko :

— Donc, tu n'as jamais révélé à personne ta vraie sexualité ?

— Non.

— Ni à ton mari ?

— Non. D'abord, je n'en étais pas totalement sûre.

Elle baisse la tête. Déconcertée, je ne sais que dire. Après un moment de silence, elle reprend :

— Sûre ou non, à quoi ça sert de déclarer une telle chose ? À embarrasser ma famille et mes enfants et humilier mon époux ? Qui pourrais-je rendre heureux avec ça ? Personne ! Je préfère rester discrète. Même après notre divorce, ça ne changera pas.

Elle relève le visage. Ses yeux sont humides. Sa voix s'étrangle.

— Je n'avais pas l'intention de le tromper. Je faisais de grands efforts pour vivre harmonieusement avec cet homme sincère. Je croyais finir par l'aimer de tout mon cœur.

Une larme tombe sur sa joue. Je murmure :

— Comme c'est triste...

Elle tremble. J'ai envie de la prendre dans mes bras. Faire des efforts pour aimer quelqu'un ou quelque chose... Je pense à mon mari qui tâche de s'adapter à la campagne. Je rêve souvent que mon partenaire aime la nature, au moins.

Fukiko et moi arrivons au milieu de la futaie de bambous. Elle observe le terrain.

— Après mon voyage à l'île de Sado, on récoltera des pousses. Comme je te l'ai déjà dit, le vieux couple voisin viendra nous aider.

— Ton mari t'aide aussi ?

— Mitsuo essaie chaque année. Mais il est assez occupé par son travail. De toute façon, il est plutôt maladroit, et je ne compte pas trop sur lui.

Fukiko examine toujours le terrain. Je lui parle de mon projet de l'aménager afin que les bambous poussent mieux. Elle se tourne vers moi :

— Le père de Yumi en cultive dans un village, près de Kyoto.

Je m'étonne. Elle ajoute :

— Ses pousses se vendent très bien et à un prix élevé. Mais, au début, c'était assez difficile. Il me répète que commencer avait été exigeant : renouveler la terre, épandre l'engrais, planter en rangs les nouveaux bambous, les sarcler. Mais maintenant, il a beaucoup de succès.

Je saute immédiatement sur cette nouvelle :

— Fukiko, peux-tu me présenter à ton oncle ? J'ai besoin de renseignements et de conseils.

Elle sourit enfin en me faisant un salut :

— À vos ordres !

Nous quittons le terrain de bambous. Le ciel est complètement dégagé.

Avant de remonter le sentier, nous cueillons les derniers *fuki-no-tô*. Nous travaillons en silence. Le soleil printanier réchauffe doucement notre dos. C'est un moment de tranquillité sereine et épanouissante.

C'est dimanche. On vient de déjeuner. Je me repose seule dans le salon. La radio diffuse une symphonie de Schubert. Je lis le dernier numéro d'*Azami* que Mitsuo m'a apporté hier soir. Je bâille. Je m'apprête à faire la sieste. C'est récemment que j'ai commencé à me relaxer ainsi en fin de week-end.

Le téléphone sonne sur mon portable. C'est ma mère. Elle me parle du divorce récent de son amie, d'un acteur mourant d'un cancer, d'un nouveau restaurant dans son quartier, etc. Elle bavarde en changeant constamment de sujets, sans transition. Le regard toujours posé sur la revue, je prête peu d'attention à ses histoires.

— Elle est belle, dit ma mère. Qu'en penses-tu ?

Distraite, je demande :

— Qui ?

Elle monte le ton de sa voix :

— Tu ne m'écoutes pas ! Je parle de madame Enju.

Deux jours ont passé depuis notre dîner au restaurant de monsieur R.

Comme prévu, nous étions six : Fukiko, ma mère, ma fille, mon fils, mon mari et moi. C'était la première fois que ma famille rencontrait Fukiko. La soirée était animée et agréable. Curieuse, ma mère posait des questions à notre invitée sur son mari et ses enfants. Fukiko lui répondait franchement, mais évitait de mentionner son divorce en cours.

Ma mère poursuit :

— Elle m'a l'air d'une citadine, comme moi et Mitsuo. Je ne l'imagine pas travaillant sur une ferme.

— Tu te trompes, maman. Elle est excellente non seulement dans les tâches de bureau, mais aussi dans les travaux agricoles. Les apparences peuvent être trompeuses.

— Quand même, monsieur Enju est le directeur d'une succursale de la banque Yamato. Pourquoi a-t-elle choisi un emploi si peu rémunéré ?

— Chacun a ses raisons qui ne regardent personne d'autre.

L'autre jour, je lui ai appris que Fukiko et moi étions amies lorsque nous étions lycéennes. Comme Mitsuo, elle a été étonnée de nos retrouvailles inattendues après tant d'années. Je ne lui ai pas parlé de notre cahier intime.

— Atsuko, je m'inquiète pour toi.

— Pardon ?

Son sujet change constamment. Cela m'étourdit. J'aimerais bien savoir comment fonctionne son cerveau. Elle est émotionnelle alors que je suis rationnelle comme mon père. Elle répète :

— Je m'inquiète pour toi.

— Pourquoi ? Je vais très bien.

— Non, tu ne comprends pas. Il s'agit de madame Enju.

— Fukiko ?

— Oui. Elle est très sexy. Tu ne le vois pas ?

— Si. Mais, ce qui m'importe, c'est qu'elle soit fiable. Pourquoi dois-je être préoccupée par son apparence ?

— L'autre soir, monsieur R. la regardait sans cesse depuis le comptoir. J'ai vu que sa femme était mécontente. Leurs employés et les clients, tous étaient captivés par madame Enju. Et...

Ma mère se tait un instant.

— Et quoi, maman ?

— Mitsuo la fixait avec un regard particulier.

Je me rappelle la réaction de Mitsuo lorsque je lui ai présenté Fukiko. Il semblait sidéré, par sa beauté et sans doute par sa ressemblance avec son ex-maîtresse. Je réponds :

— Fukiko est comme une mannequin. C'est naturel que cela séduise les hommes.

— Tu n'es pas jalouse d'elle ?

— Non, maman.

Ma mère pense probablement à l'infidélité de Mitsuo d'il y a six ans. Lorsque je lui avais raconté son aventure, elle s'était fâchée non seulement contre lui, mais aussi contre moi. « C'est la faute de ton père qui te traitait comme un garçon. Sois plus féminine ! »

— Atsuko, n'oublie pas que l'apparence extérieure a autant d'importance que l'intérieur. Il vaudrait mieux que tu portes une jupe, te maquilles, aies les cheveux longs, comme madame Enju.

Je touche mes cheveux courts.

— Désolée, maman. Je suis contente telle que je suis.

J'entends son soupir. Elle raccroche enfin.

C'est vrai qu'au restaurant, Fukiko attirait les regards des hommes. Je n'étais pas jalouse d'elle, comme je l'ai dit à ma mère. Au contraire, j'étais fière d'elle. Son sourire tendre, sa voix agréable, sa peau comme celle d'une jeune fille de vingt ans.

Ce qui m'a dérangée ce soir-là, c'est quand j'ai vu Fukiko croiser une jeune femme élégante dans le restaurant. Les deux ont échangé quelques mots avec un air intime. Fukiko portait un pull en mohair. Cette femme lui caressait le bras. Elle faisait peut-être un commentaire sur la qualité de la laine, mais je ressentais de la jalousie envers cette inconnue.

Je reprends la revue. J'examine la couverture sur laquelle on voit toujours une image de chardon. Une jolie fleur. Étrangement, ce rose violacé évoque pour moi une sensualité sauvage.

À la radio, la musique de Schubert se termine. Ensuite commence l'intermezzo de l'opéra *Carmen*. Malgré moi, je me redresse. La mélodie douce jouée par la flûte me ramène à l'époque du lycée. Je réentends la voix de ma camarade : « Hé, c'est pour toi, Atsuko ! Ça doit être un admirateur secret ! »

La musique se poursuit. Je m'allonge sur le canapé. Les yeux fermés, j'écoute l'air familier. Bientôt, je m'assoupis.

Un mois s'est écoulé depuis l'arrivée de Fukiko.

C'est le début d'avril. L'année scolaire vient de commencer : notre fille est en deuxième au collège, et notre fils en cinquième au primaire. Ils s'intègrent sans problème dans leur nouvelle classe. Bientôt, je voyagerai avec mon mari à l'île de Sado.

Un jour, revenant de son travail, Mitsuo remarque :

— Tu as l'air vivante, ces derniers temps. J'imagine que tu t'entends bien avec Fukiko.

— Oui, tout à fait. Grâce à son aide, mes affaires avancent. J'ai vraiment confiance en elle. Je pourrai partir en vacances avec toi en toute quiétude.

Il veut savoir si j'ai déjà réservé un logement et des places sur le ferry. Je l'informe que nous resterons trois nuits dans le même *ryokan*, situé au bord de la mer. Nous laisserons notre voiture au port de Niigata, et sur l'île, nous participerons à une excursion organisée. Le soir, la navette du *ryokan* nous emmènera à un théâtre nô ou à d'autres activités culturelles là-bas. Satisfait, Mitsuo me dit :

— Ce sera amusant de bavarder avec d'autres touristes. Je poserai des tas de questions à notre guide et aux habitants de l'île.

Pendant notre dîner en famille, le téléphone sonne. Mitsuo décroche. Au début, il écoute avec un air déconcerté, puis s'exclame : « C'est vrai ? Quel honneur ! » C'est manifestement une bonne nouvelle. Les enfants et moi avons hâte de savoir. Il continue à parler, et avant de raccrocher, il lance : « Oui, c'est tout à fait possible. Merci beaucoup, monsieur. Au revoir ! » En revenant à la table, il nous annonce :

— J'ai gagné un prix pour mon dernier livre !

— Bravo ! Félicitations !

Nous applaudissons joyeusement. Il nous explique que c'est un prix décerné aux personnes qui font connaître le patrimoine culturel de la région. Ma fille dit :

— Papa, il faut que tu ailles à la cérémonie !

— J'ai accepté d'y participer. C'est un événement culturel important. La cérémonie aura lieu à Kyoto. Je dois donner un discours.

Nous sommes très fiers de lui. Quand il nous apprend le jour précis, je m'écrie :

— Mon chéri, ce samedi-là, nous serons au milieu de notre voyage !

— Ah...

Embarrassé, il se tait. Déçue, je ne sais que dire. Il me répète :

— Je suis désolé.

Je lui propose :

— Dans ce cas, il faut plutôt aller à Kyoto.

Il me coupe :

— Attends, Atsuko ! C'est pour toi que j'ai choisi cette île. Pour une cérémonie d'une heure, tu n'as pas besoin d'y renoncer.

— Tu veux que j'aille toute seule à l'île de Sado ?

— Non. Vas-y avec ta mère.

— Maman ? Non, elle n'aime pas voyager en voiture. Le trajet d'ici à Niigata est trop long pour elle.

Franchement, je ne supporterais pas son bavardage incessant pendant quatre jours. Décontenancé, Mitsuo réfléchit. Je murmure :

— Finalement, je partirai toute seule...

Il proteste :

— Non, je ne suis pas d'accord, surtout en voiture. Jusqu'au port de Niigata, il faut au moins six heures.

— Je prendrai alors un autocar ou un train, mais pas avec ma mère.

Il refuse encore :

— Pas toute seule.

Tendus, les enfants nous observent. Je songe à Fukiko qui souhaitait aussi visiter cette île, mais je n'ose pas le dire à Mitsuo. À ce moment, il me suggère :

— Tu pourrais inviter Fukiko.

J'ai un coup au cœur.

— Fukiko ?

Il sourit :

— Pourquoi pas ? Elle travaille très fort et tu aimerais lui faire un cadeau un jour. Ce serait donc un voyage de remerciement.

— Mais mon bureau...

— C'est seulement pour un vendredi et un lundi. Ta mère et moi répondrons aux appels des clients.

Il a l'air de tenir à cette solution. Je me tais. Il ajoute :

— Ce samedi-là, j'emmènerai les enfants à Kyoto.

Ceux-ci restent toujours silencieux. Mitsuo insiste :

— Propose-le à Fukiko.

J'hésite encore, mais après le dîner, je téléphone enfin à Fukiko.

— Voyager avec toi à l'île de Sado ? Je serais ravie !

Elle a l'air enthousiaste. Puis elle m'annonce d'une voix joyeuse :

— Justement, aujourd'hui, nous avons signé la déclaration de divorce !

Malgré moi, je m'écrie :

— Félicitations !

Tout le monde tourne la tête vers moi. Au téléphone, notre conversation se poursuit. Nous commençons déjà à faire des plans. Nous décidons de prendre le bus de nuit jeudi soir à Nagoya. Ainsi, nous profiterons de trois journées complètes sur l'île de Sado. Lorsque je raccroche, Mitsuo m'interroge :

— Y a-t-il une bonne nouvelle chez Fukiko aussi ?

Nous sommes jeudi. Ce soir, Fukiko et moi partons pour l'île de Sado. Je ne tiens pas en place depuis tôt ce matin. Comme d'habitude, Fukiko travaille entre neuf heures et quatre heures de l'après-midi. Puis elle rentre à la maison. Le soir, nous nous retrouverons à dix heures à la gare d'autocars à Nagoya. La pensée tourne dans ma tête : « Nous allons réellement voyager ensemble ? »

Vers six heures, je dîne à la maison avec ma famille. Mitsuo me demande :

— Veux-tu vraiment que je te conduise seulement jusqu'à la gare de M. ?

— Oui, cela suffit.

Demain, il doit aller à son bureau, et samedi, il part à Kyoto pour la cérémonie avec les enfants. Je n'aime pas le déranger. De toute façon, je préfère me rendre à Nagoya toute seule.

Mitsuo et moi quittons la maison vers huit heures et demie.

À la gare de M., il me souhaite bon voyage. À mon tour, j'espère qu'il va passer d'agréables moments à Kyoto. À la fin, il s'excuse à nouveau d'avoir annulé à la dernière minute. Je saisis ma valise et me dirige vers les guichets. Lorsque je me retourne, sa voiture n'est plus là.

Le train arrive. Je m'installe sur un siège près de la porte. Distraite, j'observe les voyageurs. Il y a des hommes en complet. Ce sont des salariés, fatigués de leur longue journée. Certains sommeillent, un journal ou un livre à la main.

Je me rappelle l'époque où Mitsuo et moi travaillions à la revue *N*.

Nous prenions la même ligne de métro, mais il était rare que je le croise, car il restait au bureau jusqu'à très tard le soir. Une fois que nous nous étions trouvés dans la même voiture, il s'était approché de moi amicalement. Là, nous avions eu une conversation, courte mais significative. C'était avant de nous fréquenter.

Mitsuo me parlait d'un collègue qui allait bientôt quitter la revue. Il organisait un dîner d'adieu pour lui et m'avait invitée à y participer. J'avais accepté avec plaisir. À la fin de notre conversation, il m'avait affirmé, à moitié sérieux : « Tu es calme, gentille, intelligente. Tu seras une excellente maman. » Je l'avais taquiné : « Et toi, tu seras un papa excellent. »

Il fait noir. On ne voit rien dehors, sauf des lumières au loin.

En face de moi se tiennent debout deux lycéennes. Elles restent silencieuses, les figures tournées vers la vitre. Au bout d'un instant, j'aperçois l'une d'elles toucher la main de l'autre et celle-ci la prendre. Je songe à une sortie que j'avais faite avec Fukiko peu avant la fin de l'année au lycée.

Nous avions été à une église de Nagoya pour écouter du Bach joué aux grandes orgues. Tout au long du concert, nous étions demeurées main dans la main, et entre deux morceaux, j'avais chuchoté à son oreille : « Fukiko, viens un jour à la ferme de mes parents. » Réjouie, elle avait répété : « Vraiment ? »

Le train arrive à Nagoya.

Je me précipite vers la gare d'autocars où Fukiko et moi sommes censées nous rejoindre. De nouveau, la pensée tourne dans ma tête : « Nous allons réellement voyager ensemble ? » J'ai des palpitations de peur et d'exaltation. Soudain, je m'arrête, frappée en réalisant que je n'ai jamais senti une sensation pareille pour un homme.

J'entre dans la salle d'attente.

Fukiko n'est pas arrivée. J'ai déjà nos deux billets. Il n'y aura qu'à monter dans le car. Assise sur un banc face à la vitrine intérieure, je sors de mon sac un roman que j'ai commencé à lire il y a quelques jours. Une histoire d'amour classique. Je tente de saisir le sens de chaque phrase, mais en vain.

Bientôt, j'aperçois Fukiko à travers la vitrine. Comme moi, elle arrive toute seule en tirant sa valise. Dès qu'elle me remarque, elle agite sa main. Son sourire me soulage. Je me lève pour l'accueillir.

Il est dix heures et demie. Fukiko et moi montons dans le car de nuit.

C'est presque complet. Il y a trois colonnes de sièges simples, assez distantes, séparées les unes des autres par des rideaux. L'intimité individuelle est bien protégée afin que chacun puisse dormir sans être dérangé par ses voisins. Après avoir reçu une couverture confortable, nous nous installons à nos places réservées côté fenêtre. Moi au cinquième rang derrière le chauffeur, Fukiko au sixième.

Le car se met à rouler.

— Bonsoir, mesdames et messieurs !

Une voix féminine préenregistrée donne des renseignements sur le trajet. Je mets ma couverture sur mes genoux. Bien qu'assez fatiguée de ma journée, je n'ai pas sommeil. Par la fenêtre, je vois des néons clignotants de cafés, de bars, d'hôtels.

Lorsque je ferme le rideau de la fenêtre, j'entends Fukiko m'appeler. Je me retourne vers elle.

— C'est pour toi !

Elle me passe par-dessus l'épaule une enveloppe qui semble contenir un livre. Je lui demande :

— Qu'est-ce que c'est ?

Elle me jette un sourire coquin :

— Surprise ! Bonne nuit !

Curieuse, je sors le contenu. « Notre cahier ! » Stupéfaite, je regarde la couverture cartonnée recouverte d'un denim bleu foncé. Ses teintes ne se sont pas fanées : les deux images de *fuki-no-tô*, brodées au bas du plat supérieur, demeurent vivantes. Le cahier n'est nullement abîmé, comme s'il était neuf. Je suis émue : « Fukiko l'a bien conservé ! »

J'ouvre. Sur la première page, je reconnais mon écriture d'autrefois.

« Chère Fukiko,

Je suis encore agitée par notre rencontre subite. Je croyais vraiment qu'un garçon m'avait envoyé la musique de *Carmen*. Mais non ! C'était une fille, une élève du lycée B. Quel étonnement pour moi !

Je n'ai pas été déçue d'avoir été détrompée. Au contraire, j'ai immédiatement eu un sentiment très vif et positif envers toi. Et ta proposition m'a enchantée : échanger par écrit nos idées, nos opinions, nos pensées. Que c'est joli, ce cahier ! L'as-tu fabriqué toi-même ? Si oui, tu es une artiste !

D'abord, je me présente à nouveau.

Mon nom, Atsuko Mori, s'écrit ainsi en *kanji* : 森温子.

J'habite à M. Mes parents tiennent une ferme au village d'U. Je n'ai ni frères ni sœurs. Mon père était auparavant *shôsha-man*. Il adore son nouveau métier et travaille fort avec ma mère. Il veut que je lui succède, mais je n'en ai pas envie. Au *tandaï*, je compte étudier le commerce, métier qu'il pratiquait avant de devenir fermier. C'est ironique, n'est-ce pas ?... »

« Chère Atsuko,

Merci pour cette réponse affirmative ! Tu n'imagines probablement pas combien cela me réjouit.

Je l'avoue maintenant. Ce fut un coup de foudre : je suis simplement tombée amoureuse de toi. Incapable de t'oublier, j'ai envoyé une note à la radio étudiante de ton lycée pour qu'on joue la musique de Bizet à ton intention.

Ne te fais pas de drôles d'idées, s'il te plaît. Seulement, je souhaite avoir une relation amicale avec toi, comme deux amies. Je cherchais quelqu'un avec qui je puisse librement échanger des pensées. Puisque je suis un peu réservée et maladroite dans mes propos, je préfère les communications écrites. Merci encore d'avoir accepté ma proposition.

À mon tour, je me présente à nouveau.

Mon nom, Fukiko Yada, s'écrit en *kanji* :
矢田蕗子.

Je suis née pendant la saison des *fuki*.
J'ai un frère et une sœur aînés. Mon père
est banquier et ma mère professeure d'éco-
nomie à l'université. Ils ont de grandes ambi-
tions pour nous. Mon frère est en sixième
année de médecine et ma sœur fait une
maîtrise en droit. Mes parents sont contents
d'eux, mais pas de moi : je n'ai pas l'intention
de continuer mes études, en dépit de mon
lycée d'élite.

Mon passe-temps est de cultiver des
légumes et des fleurs. Quand je touche de la
terre, je me sens bien. Je ne sais pas pourquoi,
mais c'est comme ça. Souvent, je rends visite
à mon oncle qui possède une ferme. L'odeur
du sol, du soleil, de l'herbe ! J'adore ça ! Mon
rêve, c'est d'avoir une ferme à moi. Sinon,
j'aimerais tenir une boutique de fleuriste.

Quand j'ai déclaré à mes parents que
je voulais devenir fermière, ils ont répondu :
"Tu veux étudier l'agronomie ? Oui, c'est un
sujet sérieux ! Tu pourras aller à l'université K.
qui a une excellente faculté en ce domaine."
Ils ne comprennent pas ce que je désire vraiment. Que tes parents fermiers soient les
miens !... »

« Chère Fukiko,

Eh oui, mon père serait très heureux s'il avait un enfant comme toi, passionné par l'agriculture. J'espère que ton rêve se réalisera un jour.

Franchement, je ne déteste pas du tout l'agriculture. Au contraire, je crois que c'est un des domaines les plus intéressants. Cultiver des légumes, des fruits, des fleurs, ce n'est pas comme fabriquer des objets artificiels. Tout ce qu'on fait pousser est consommé et retourne finalement dans la terre, comme nos cendres.

Je plains ma mère. Elle était satisfaite d'être la femme d'un salarié stable et bien payé. Depuis huit ans, elle mène une vie de fermière, mais elle n'a pas l'air heureuse. Si j'étais un fermier, j'épouserais une femme qui aime l'agriculture. Hélas ! Ma mère ne savait pas que mon père deviendrait un jour fermier... »

« Chère Atsuko,

Hier soir, j'ai eu une querelle avec mes parents. C'était à propos de mon avenir. J'ai affirmé : "Après avoir terminé le lycée, je veux travailler à la ferme de mon oncle." Ils étaient furieux, surtout mon père, qui ne s'entend pas avec son frère. "Qu'est-ce que tu racontes ? Tu dois aller à l'université comme tes aînés et tu pourras devenir professeure d'agronomie."

Je t'envie. Même si ton père souhaite que tu hérites de sa ferme, il n'insiste pas. En tout cas, il s'agit de ma vie, c'est moi qui dois choisir mon chemin.

Hier, j'ai eu dix-huit ans.

À propos, j'ai fait un drôle de rêve la nuit dernière. Il était si vivant et si clair que je peux me rappeler chaque détail. Je te le raconte.

Le professeur chargé de notre classe déclare :

— Bon, tout le monde a été admis à l'université de son choix. Je suis fier de vous. Comme vous le savez, notre école...

La camarade à côté de moi l'interrompt :

— Monsieur, Fukiko ne s'est pas présentée au concours d'entrée !

Le reste de la classe tourne la tête vers moi. Quelqu'un se moque de moi :

— C'est la honte pour notre école, une des meilleures de l'Aïchi !

Le professeur me console :

— Ne t'inquiète pas, Fukiko. Tu te présenteras l'année prochaine.

— Non, monsieur. Je vais travailler à la ferme de mon oncle.

Tout le monde éclate de rire :

— Fukiko veut devenir fermière !

Je me rends chez mon oncle et lui demande :

— Peux-tu m'engager ?

Il me répond :

— Fukiko, ce n'est pas possible. Va visiter d'autres fermes.

Il me donne quatre adresses. Je vais rencontrer les patrons, un à un. Les trois premiers refusent : "Tu es élève du lycée B. ? N'afflige pas tes parents. Va à l'université !" Déçue, je me rends à la quatrième ferme. La porte s'ouvre, et c'est toi !... »

« Bon anniversaire, Fukiko !

Tu as un mois de moins que moi. L'année prochaine, nous pourrons fêter ensemble notre anniversaire. Voici une carte de vœux que j'ai faite pour toi avec des fleurs séchées. Ce sont des fleurs sauvages cueillies dans le champ de mes parents. Je n'ai pas de talent artistique comme toi, mais accepte-la en cadeau d'anniversaire.

Hier, le cours d'éthique a porté sur la psychologie. Le prof nous citait plusieurs auteurs étrangers et japonais, mais sans beaucoup approfondir. Cela restait très général. Après, une camarade m'a parlé de "l'interprétation des rêves". Elle m'expliquait les théories de Freud. C'était curieux, mais je trouvais qu'une telle analyse pourrait ressembler à de la divination. C'est un domaine auquel ma mère s'intéresse, mais pas mon père.

Je pense à ton rêve, j'espère que tu n'as pas trop de stress, coincée entre ton désir et celui de tes parents... »

« Chère Atsuko,

Merci pour cette carte faite à la main ! Elle m'a beaucoup plu. Les fleurs sauvages séchées sont merveilleuses. Ta façon de les arranger m'évoque un style d'ikebana. Ne sois pas si modeste. Tu as un talent artistique. Je conserverai soigneusement cette carte.

À propos de mon rêve, tu as tout à fait raison. Je crois que tu es beaucoup plus mûre que moi. Je me sens un peu perdue. C'est le problème que je porte depuis mon enfance.

Tu es mon amie. J'aimerais bien t'inviter chez moi, mais ce n'est pas possible. Je ne prononce même pas ton nom ni parle de notre cahier à personne de ma famille. Je t'explique pourquoi.

Quelques mois avant que je te rencontre pour la première fois, mon frère a emmené un ami chez nous. Celui-ci s'appelle Shin. Un homme sympathique. C'était sa troisième visite. Il a vingt-huit ans, quatre ans de plus que mon frère. Il travaille dans une banque, comme mon père. Mes parents, qui l'aiment beaucoup, l'ont accueilli chaleureusement. Ma mère l'a porté aux nues devant tout le monde :

— Shin, tu es intelligent, solide et actif. Tu deviendras un cadre supérieur !

Ma grande sœur, qui a vingt-trois ans et n'a pas encore de petit ami, fixait l'ami de notre frère avec un regard enflammé. Je devinais qu'elle s'intéressait beaucoup à lui. Ma mère a continué :

— Shin, les gens de la nouvelle génération restent célibataires plus longtemps qu'avant. Cela semble être ton cas ?

J'imaginais qu'elle souhaitait un mariage entre lui et ma sœur.

— Oh non, madame ! J'aime beaucoup les enfants. Si possible, je voudrais bien fonder une famille dans deux ou trois ans.

Cette réponse l'a enchantée. Les yeux de ma sœur brillaient. Après que Shin fut parti, nous avons eu une dispute chez nous. Non, pas une dispute, plutôt un orage.

Mon frère a annoncé devant la famille :

— Shin est épris de Fukiko. Il espère sortir avec elle.

Stupéfait, tout le monde m'a regardée. Je lui ai répété :

— Quoi ? Sortir avec ton ami ?

Ma mère s'est tournée vers ma sœur, qui s'est écriée :

— Ce n'est pas possible !

Avec calme, mon père l'a interrogée :

— Pourquoi réagis-tu comme ça ? Qu'un homme idéal comme Shin épouse notre fille, que peut-on espérer de mieux ?

Ma sœur tremblait.

— Mais... mais...

Ma mère a contredit mon père :

— Fukiko est encore jeune pour se marier.

Il a répondu, toujours calme :

— C'est une question de temps. Shin pourrait attendre qu'elle ait terminé ses études universitaires. Quatre années passent vite.

Ma mère protestait toujours. Je restais abasourdie : "On discute de mon avenir sans moi !" De nouveau, ma sœur a crié :

— Ce n'est pas possible !

Mon frère a ri :

— Tu es jalouse ! Désolé, mais mon ami est follement amoureux de Fukiko.

Puis, il s'est tourné vers moi :

— Fukiko, que penses-tu de lui ?

J'ai répondu, plutôt indifférente :

— Il est trop âgé pour moi.

— Un bel homme comme lui ! Il ne te plaît pas ?

— Pas vraiment.

Soudain, ma sœur a déclaré :

— Bien sûr que non, puisqu'elle aime seulement les filles !

Ses paroles m'ont fait l'effet d'un coup de massue sur la tête. Je croyais que personne ne connaissait mon secret. Tout le monde restait ébahi. Les visages étaient devenus tout pâles. Ma mère a hurlé à ma sœur :

— Arrête de dire des bêtises !

Ma sœur a repris :

— J'ai vu Fukiko embrasser une fille sur la bouche.

Voilà mon histoire. Tu peux imaginer le bouleversement de mes parents et celui de mon frère qui essayait de servir d'intermédiaire entre son ami et moi. J'ai haï ma sœur.

Ma mère me questionnait et je refusais de répondre. Mon père a interdit à tous d'en parler. Désespérée, ma mère m'a suppliée : "Ça doit être un caprice de jeunesse. Ne le refais pas, s'il te plaît."

Je comprends l'inquiétude de mes parents : une de mes cousines s'est suicidée, sans doute à cause de son identité sexuelle. Mon oncle fermier, le frère de mon père, est le père de cette cousine.

Fukiko, je suis désolée de te déranger avec cette histoire lourde. Je n'ai personne à qui me confier. La fille que ma sœur a vue était ma petite amie, mais nous avons rompu bien avant que je te rencontre. Ce fut ma première expérience, et je n'étais pas sûre de moi. Ma mère a probablement raison. Selon elle, il arrive souvent qu'une fille soit attirée par une autre fille avant d'aimer un garçon. Mais ce qui est vrai pour moi, c'est que j'ai eu le coup de foudre pour toi dans le train... »

— Atsuko, nous sommes arrivées.

Fukiko me réveille en me touchant l'épaule. Dehors, il fait encore noir. Nous sommes au terminus de Niigata. Je m'agite : « Où est le cahier ? » Je le cherche autour de la couverture couvrant mes genoux. Ah, le voilà ! Il se trouve entre mon siège et la paroi du bus. Je le range précieusement dans mon sac à dos.

— Bonjour, mesdames et messieurs !

La même voix féminine préenregistrée commence à donner des renseignements. Les rideaux qui séparent les rangées sont déjà ouverts. Les voyageurs se préparent à descendre. Il est un peu passé cinq heures. Je bâille sans arrêt. Je dormirai encore sur le ferry.

Au terminus, nous prenons l'autobus direct pour le port de Niigata. Nous nous installons sur une banquette à deux places : Fukiko côté fenêtre et moi côté couloir. Le jour commence à poindre.

— Merci, Fukiko, pour notre cahier. Tu l'as bien conservé. J'étais émue en le lisant, comme si tout s'était passé hier.

Doucement, elle pose sa main sur la mienne. Elle ne porte plus son anneau de mariage. J'aperçois à son poignet un joli bracelet. Elle me le montre fièrement :

— C'est un cadeau de ma fille. Elle m'a souhaité un bon voyage avec toi.

Je mets mon autre main sur la sienne et en effleure le dos du bout des doigts. Les yeux fermés, elle me laisse continuer mon mouvement. Je sens mon corps devenir chaud. « Vers où allons-nous ? » pensé-je.

L'autobus arrive au port de Niigata.

Au terminal du ferry, nous achetons nos billets. Il reste encore du temps avant le départ. Nous montons à l'étage supérieur où il y a des restaurants et des magasins de souvenirs. Nous entrons dans un café encore tranquille.

Assises devant la fenêtre, nous observons l'extérieur. Au quai se trouve un grand ferry blanc. Ce doit être le nôtre. Le ciel est clair sans un nuage.

— Il fait beau, dis-je. Ce sera un voyage agréable.

Fukiko murmure :

— Mais il y a un vent fort. Le bateau sera agité...

Elle a raison. Il y a de la houle. Elle reprend :

— Souvent, au printemps, la mer n'est pas calme.

Nous nous taisons. Je songe à Mitsuo. Il a rompu toute relation avec sa maîtresse dès qu'il a su que j'en connaissais l'existence. Son choix était clair : la famille, bien qu'il doive encore aimer cette femme sensuelle. Je ne souhaiterais pas non plus saper ma vie dans ses fondements à cause d'une aventure. Pourtant, je doute que ce soit possible pour moi de vivre ainsi, en ayant le cœur ailleurs... Fukiko me demande d'un air inquiet :

— Es-tu sujette au mal de mer ?

Je secoue la tête. En buvant du café, nous contemplons le ferry et la mer bleu foncé. Un goéland passe gracieusement devant la fenêtre. Nous le suivons des yeux. Je réentends la voix de Mitsuo : « Atsuko, tout ira bien de notre côté. Ne te soucie pas de nous appeler pendant tes vacances. Amuse-toi bien avec Fukiko ! »

Ma famille se réveillera dans une demi-heure. Mitsuo réchauffera la soupe de *miso* que j'ai préparée hier soir. Pour le riz, il n'aura qu'à appuyer sur le bouton de l'autocuiseur. Il préparera des omelettes. Ma fille et mon fils feront leur toilette. Ils prendront leur petit-déjeuner peut-être plus tranquillement que d'habitude.

L'autre jour, quand Fukiko m'a appris son divorce au téléphone, j'ai lancé spontanément : « Félicitations ! » Après, Mitsuo m'a demandé s'il y avait une bonne nouvelle chez elle aussi. Les enfants étaient là.

J'ai marmonné que Fukiko avait terminé la confection d'une jolie robe pour sa fille.

Fukiko reste silencieuse, le regard posé sur sa tasse de café. Pense-t-elle à son ex-mari ? Elle doit avoir des sentiments mélangés, bons ou mauvais, que personne ne peut deviner.

— Atsuko, je regrette de ne pas avoir été fidèle à ma nature. Pendant mon mariage, j'ai vécu le quotidien sans problème, mais sans véritable amour.

Elle baisse la tête. Je saisis sa main tenant la cuillère.

— Au moins, dis-je, c'est fini pour toi. Pense à ton avenir.

Elle jette un œil vers moi. Son visage dit : « Quel avenir ? Le nôtre ? »

On annonce l'embarquement du ferry. Nous descendons.

Il faut deux heures et demie jusqu'à l'île de Sado. Sur le ferry, nous louons des couvertures et montons avec nos bagages à la section « tapis », où on peut se reposer. Il y a déjà pas mal de monde.

Nous prenons un espace à côté d'un vieux couple. Ils nous saluent aimablement. La dame me demande :

— Êtes-vous des touristes ?

— Oui, nous le sommes.

Nous comprenons que ce sont des habitants de l'île. Ils nous suggèrent des endroits

intéressants à visiter. La dame nous questionne de nouveau :

— Vous êtes sœurs ?

Je lui réponds :

— Non, madame. Nous sommes amies.

Les vieux bavardent tranquillement. Je n'ai
plus vraiment sommeil, mais ressens encore le
besoin de prendre du repos. Je m'allonge sur
le tapis. Fukiko arrange d'un geste affectueux
ma couverture afin que je sois bien couverte.
Avec un sourire tendre, elle caresse ma tête.
La dame nous dévisage. Je détourne les yeux.

La mer s'agite. Le ferry se met à rouler
et tanguer. Je me répète : « Vers où allons-
nous ? »

Le bateau est arrivé au port Ryôtsu sur l'île de Sado. Nous prenons un brunch léger dans un restaurant, puis allons louer une voiture. Le temps est toujours splendide et la mer est calme maintenant.

Grâce aux renseignements que le vieux couple nous a donnés sur le ferry, nous pourrons visiter des coins peu connus mais superbes. Ce sera beaucoup plus intime qu'avec un groupe. Si j'étais avec Mitsuo, qui s'ennuie facilement dans les endroits trop tranquilles, ce ne serait pas la même chose. En fait, je planifiais pour lui une excursion organisée afin qu'il s'amuse à bavarder avec les autres touristes.

Je conduis la voiture. Nous nous dirigeons d'abord vers le côté opposé de l'île. Cela prendra moins d'une demi-heure. Nous prenons une route principale, d'où le paysage est assez banal.

Au volant, je propose à Fukiko :

— Si on allait au théâtre nô ce soir ?

Elle se tait. Je l'informe de ce que j'ai appris dans les brochures touristiques. Cette île est réputée pour cet art : il y a plus de trente scènes pour une population d'à peine soixante-quatre mille habitants. Fukiko répond :

— Non, je n'en ai pas envie.

Je jette un regard sur son profil. Elle a l'air pensive. Je n'insiste pas. Elle reprend :

— Je n'aime pas les masques.

— Pourquoi ?

— Ils m'effraient. Je ne comprends pas pourquoi on a inventé ces objets sinistres.

Cet adjectif, « sinistre », me trouble. Elle me propose :

— Je peux te raconter une histoire que je me suis inventée ?

— Oui, j'écoute.

« Un garçon est tombé amoureux d'une fille très jolie. Il lui propose le mariage. Mais la fille refuse, car elle a des exigences précises pour son futur époux : il doit avoir les yeux grands, le nez haut, les lèvres minces. Malheureusement, le visage du garçon est tout le contraire. Il fait alors fabriquer un masque. En le portant, il réussit à la séduire, et elle accepte enfin de l'épouser.

Les années passent. Un jour, la femme déclare qu'elle préfère maintenant un homme aux yeux petits, au nez plat et aux lèvres épaisses. Ce revirement enchante le mari.

"C'est exactement mon vrai visage !" Celui-ci lui avoue la vérité et sa femme se réjouit. "Mon chéri, enlève ton masque !" Ravi, il lui obéit. Hélas, c'est impossible ! Le masque est complètement collé à sa peau. Paniqué, il l'arrache de force et le sang jaillit... »

Je m'écrie :

— Quelle histoire funèbre !

— Tout à fait. Une personne qui porte un masque s'expose à ce danger. C'est ce que je ressens lorsque je vois du théâtre nô.

Je pense au mot « enju », qui désigne un arbre utilisé pour fabriquer des masques de nô. Elle continue :

— Je me suis finalement séparée de ce patronyme Enju que j'ai porté plus de vingt ans, plus longtemps que mon nom de jeune fille. Je suis redevenue Fukiko Yada !

Elle met l'accent sur son nom, Yada, comme si cela voulait dire qu'elle est enfin retournée à son origine.

Fukiko tourne la tête vers la fenêtre. Je réfléchis. Son masque est jeté après tant d'années. Elle aura besoin de temps pour se remettre de cette longue période où elle essayait d'être « normale ». Je me demande : « Et moi, qui suis-je ? Que sais-je vraiment de moi-même ? »

Nous traversons une petite ville et continuons tout droit. Au bout de la route principale, nous tournerons à droite pour aller vers l'ouest puis longer la côte vers le nord. Le *ryokan* que j'ai réservé se trouvera à vingt kilomètres d'ici. Nous y passerons trois nuits. Auparavant, nous pourrons visiter plusieurs endroits, surtout une plage sauvage et isolée que le vieux couple du ferry nous a indiquée.

Soudain, nous sommes en face de l'immense mer bleue. La lumière du soleil scintille sur la surface. Des goélands volent en tous sens. Nous nous exclamons en même temps :

— C'est magnifique !

J'ai une sensation étrange comme si j'entrais dans un pays inconnu. Nous roulons le long de la baie de Mano. Fukiko me répète :

— Ah, quel bonheur !

Sa voix détendue m'enchante.

Nous arrivons maintenant au rivage de Nanaura. Un endroit célèbre mentionné dans toutes les brochures que Mitsuo m'a apportées. Nous descendons de la voiture. Le ciel est limpide.

Devant nous se dressent deux grands rochers appelés Meoto-iwa, rochers couple. Celui de droite est plus gros que le gauche, dont la moitié est couverte d'arbrisseaux. L'eau basse est transparente. On voit clairement les pierres au fond. Restées debout, nous contemplons ces statues naturelles.

Il y a une dizaine de touristes. Près de nous bavardent deux cyclistes en tenue de sport. Ce sont des adolescents : un garçon et une fille. Celle-ci dit à l'autre :

— Ici, il n'y a pas de *shime-nawa*.

La fille a raison : il n'y a pas de corde sacrée reliant les deux rochers comme ceux, bien connus, de Futamigaura à Ise. Le garçon lui répond d'un ton assuré :

— Celui de droite est mâle et celui de gauche est femelle.

— Comment ça ? Parce que celui de droite est plus gros que l'autre ?

— Ce n'est pas ça. Observe-les bien.

Curieuses, Fukiko et moi examinons les différences entre les deux. Nous nous lançons un sourire mutin. La fille, qui n'a toujours pas l'air de comprendre, demande de nouveau à son compagnon :

— Comment ça ?

Le garçon lui explique :

— Il y a une fente au milieu du petit, et une saillie devant le gros.

Elle éclate de rire :

— C'est gênant !

Il continue, toujours avec assurance :

— Un homme et une femme. C'est un don du ciel, comme la nature.

Elle rit encore :

— Tu parles comme quelqu'un de la vieille génération.

— Comment ça ?

— Il existe des couples homosexuels. Faut-il alors trouver des rochers pareils l'un à l'autre ? Avec deux f...

Elle rougit. Il poursuit sur un ton moqueur :

— Avec deux fentes ou deux saillies ? Que c'est drôle ! Être homosexuel, c'est contre nature. C'est un accident regrettable.

— Dans quel siècle tu vis, monsieur ? Je ne savais pas que tu étais si rétrograde !

Puis la fille se met à pédaler. Le garçon se précipite derrière : « Hé, attends-moi ! »

Nous descendons et nous promenons autour des rochers.

Au-dessus de nous volent bruyamment des goélands. Fukiko trébuche sur une pierre. Je la saisis par le bras. Il n'y a personne qui puisse nous voir. Nous marchons main dans la main. Ce geste nous vient spontanément. Ce n'est pas notre habitude, à Mitsuo et moi. Je lève la tête et contemple les oiseaux. À ce moment passe dans ma tête un morceau de Bach joué aux grandes orgues.

Le ciel bleu et la mer émeraude se rejoignent à l'horizon. Une brise agréable souffle. Arrêtées un instant, nous estimons la hauteur des rochers. Les deux doivent avoir une vingtaine de mètres. La « femme » est un peu plus haute que l'« homme ».

— Quand la marée atteindra son maximum, dis-je, ils flotteront comme deux îles séparées. Ce sera admirable aussi.

Fukiko murmure :

— Ils seront toujours liés sous l'eau l'un à l'autre, tel un couple qui s'aime profondément.

Je serre sa main :

— Comme des feuilles de *fuki*, liées sous la terre.

Elle me sourit. Ses fossettes me font retomber en adolescence.

Nous nous tenons debout derrière le rocher femelle. D'ici, on ne voit que la mer du Japon. Devant nous, tout est bleu. Je serre Fukiko fort dans mes bras. Elle ferme les yeux. Je l'embrasse sur les lèvres.

Nous nous rendons au *ryokan* que j'ai réservé.

C'est un logement vétuste mais propre et sympathique, tenu par un couple de notre âge. Fukiko et moi décidons d'être sœurs. À l'entrée, la patronne nous accueille amicalement. Je me présente :

— Je m'appelle Atsuko Kawano. J'ai réservé une chambre pour deux personnes au nom de Mitsuo Kawano.

Elle a l'air perplexe. Fukiko s'incline poliment devant elle. Je continue :

— Malheureusement, mon mari a dû renoncer à ce voyage à la dernière minute. Au lieu d'annuler, j'ai invité ma sœur. J'espère que cela ne vous dérange pas.

La patronne me répond avec un grand sourire :

— Pas de problème, madame ! Au contraire, nous vous remercions d'avoir maintenu la réservation.

Au comptoir de la réception, nous inscrivons sur un formulaire nos coordonnées et nos métiers. Moi fermière et Fukiko commis. L'hôtesse nous pose des questions : si c'est notre première visite à l'île, comment j'ai trouvé ce logement, etc. Nous répondons brièvement. Mitsuo serait ravi d'avoir de tels échanges, mais pas nous, Fukiko et moi. Nous préférerions l'accueil impersonnel d'un hôtel d'affaires.

Une vieille femme apparaît inopinément devant nous. Je m'étonne : « Ah ! » C'est la dame que nous avons rencontrée sur le ferry. Elle nous fixe, les yeux écarquillés. La patronne nous la présente :

— Voici la *nakaï* Tomi. Elle va vous montrer tout de suite votre chambre.

Je lui mentionne notre rencontre sur le ferry en ajoutant que cette dame et son mari nous ont donné des renseignements très utiles sur l'île. Elle renchérit :

— Oui, Tomi connaît tous les recoins de l'île, mieux que moi, originaire de Kanazawa.

Elle répète à la *nakaï* que mon mari a dû renoncer à ce voyage et que ma sœur l'a remplacé. Interloquée, cette vieille femme nous dévisage, Fukiko et moi. Elle doit se rappeler que je nous avais présentées sur le bateau comme deux amies. Son regard devient méfiant. Puis elle nous invite à la suivre sans bienveillance.

Nous montons à l'étage avec nos bagages. Ç'aurait été mieux si j'avais réservé une autre chambre pour Fukiko. Mais c'est trop tard maintenant.

Dans notre chambre, la *nakaï* nous prépare des tasses de thé avec des sucreries japonaises. Elle reste silencieuse, contrairement à son attitude amicale sur le ferry. Avant de sortir, elle nous demande :

— À quelle heure dois-je apporter vos dîners ?

Nous lui répondons que sept heures nous conviendrait et qu'ensuite nous prendrons un bain. Elle nous dit sans sourire : « À votre service. »

Derrière la chambre à tatamis, il y a une petite pièce où se trouvent deux fauteuils et une table basse. Nous nous y déplaçons. J'ouvre les portes coulissantes qui donnent sur la mer. Devant nous s'étend un paysage merveilleux, avec les Meoto-iwa que nous avons visités cet après-midi. Nous nous installons dans les fauteuils. Fukiko n'a pas l'air détendue.

— Pauvre Tomi, dis-je.

Elle me réplique :

— Tu as pitié de cette *nakaï* ? Pourquoi ? Nous sommes des clientes.

— Calme-toi, Fukiko. Nous avons menti à la patronne, et Tomi a ensuite compris que j'étais mariée. Cette vieille dame imagine naturellement que j'entretiens une relation adultère avec une femme.

Fukiko se tait. Je reprends :

— Si Tomi était la propriétaire, elle refuserait de nous loger.

Elle murmure :

— J'imagine.

— À ton avis, qu'est-ce qui la dérange vraiment ? L'homosexualité ou l'adultère ?

— Les deux, dans ton cas ! Je suis divorcée, au moins. Mais pas toi.

— Tomi ne sait pas que tu es divorcée. Elle n'est sans doute pas contente de notre mensonge.

Fukiko boude :

— Après tout, ce n'est pas son affaire.

Je propose :

— Demain, nous pourrions changer de logement. Cette fois, pour un hôtel.

Elle est d'accord. Nous voici un peu calmées.

À l'horizon, le soleil descend en colorant le ciel en rouge. Il fera encore beau demain. Nous admirons en silence le coucher du soleil.

En fait, ce qui me dérange, ce n'est pas ce que les gens pensent de nous. C'est le fait que je m'éprends de plus en plus de cette femme à côté de moi. Il ne s'agit pas d'une aventure. Mitsuo serait choqué s'il l'apprenait.

Il est sept heures. On entend une voix féminine, puis la porte s'ouvre. Nous pensons que la *nakaï* est revenue, mais ce n'est pas elle. La patronne elle-même apporte nos dîners. Elle nous annonce avec un grand sourire :

— Voici vos plats, mesdames !

Elle les dépose sur la table basse. Beaucoup de fruits de mer frais. Chaque plat est une merveille. Nous nous exclamons : « Quelle présentation ! » Contente, l'hôtesse nous explique le nom des poissons, des coquillages, des algues. Je l'interroge, hésitante :

— La *nakaï* va-t-elle bien ?

— C'est gentil à vous. Tomi est rentrée tout à l'heure à la maison, car son mari est tombé malade. Alors, je m'occuperai de vous à sa place.

Fukiko et moi nous nous regardons. La patronne nous informe qu'il y a deux *ofuro* pour familles. Leurs portes étant barrées de l'intérieur, ajoute-t-elle, les visiteurs peuvent s'y détendre librement.

Nous nous tenons debout, toutes nues, dans la salle de déshabillage.

— Tu es belle, Fukiko.

Elle me sourit. J'observe son corps bien proportionné et ferme pour notre âge. Sa taille est fine. Ses formes sont généreuses. Ses longs cheveux noirs sont lisses et brillants. Je comprends tout à fait pourquoi ma mère s'inquiète à propos de Mitsuo, dont la femme est un garçon manqué.

Il y a un long miroir accroché au mur. Devant est placé un tabouret de bois. À gauche, une tablette sur laquelle sont posés des serviettes, des sèche-cheveux, des *yukata* et des *obi*. Fukiko y met son sac de produits de toilette. Je lui dis :

— Donne-moi des épingles à cheveux et un élastique. J'aimerais te faire des tresses.

Elle s'assied sur le tabouret. Je prends sa brosse à cheveux et la peigne lentement. Restée debout, j'admire son corps dans le miroir. La tête baissée, elle me laisse tresser ses cheveux. Mon ventre touche son dos et mes seins effleurent sa nuque. Je fredonne une berceuse. Elle m'écoute, immobile.

« Ce soir encore, ton oreiller est baigné de larmes.

À qui rêves-tu ? Viens, viens vers moi.

Je m'appelle Azami. Je suis la fleur qui berce la nuit.

Pleure, pleure dans mes bras. L'aube est loin encore. »

Lorsque je m'arrête, Fukiko me demande, les yeux rivés sur le miroir :

— Je l'entends pour la première fois. Qui en est l'auteur ?

— La grand-mère de Mitsuo. Il m'a appris cette chanson avant notre mariage. C'est une berceuse intitulée *Azami*.

Fukiko reste pensive. Puis, elle opine :

— Je devine qu'Azami est une prostituée.

— Prostituée ?!

— Oui. Une berceuse pour consoler un homme qui dort seul.

— C'est intéressant, mais je ne peux pas imaginer pourquoi sa grand-mère aurait inventé une telle chanson. D'après Mitsuo, issue d'une famille bourgeoise, elle était très conventionnelle.

Fukiko me semble toujours pensive. Je lui raconte que la mère de Mitsuo a quitté son mari pour un autre homme, alors que son fils était encore nouveau-né. Mitsuo a été élevé par cette grand-mère paternelle jusqu'à ce que son père se remarie.

Fukiko m'interrompt :

— Sa mère a vraiment quitté sa famille pour un autre homme ?

— Je ne sais pas. Vrai ou non, c'est ce que son père a dit à Mitsuo.

— C'est curieux...

— Ou bien sa mère était devenue femme de nuit.

Elle se tait. Je regarde son visage dans le miroir. Ses yeux sont embués. Elle baisse la tête comme pour cacher son émotion. Ses épaules frémissent. Je l'entoure de mes bras :

— Qu'est-ce que tu as, Fukiko ?

— Cette berceuse m'a fait penser à l'époque.

— Quelle époque ?

— L'époque où je me suis mariée. Je sentais que je commettais une grosse erreur, mais c'était trop tard. Après mon mariage, je pleurais en songeant à toi.

— Fukiko, ne te tourmente pas ainsi. Tu n'avais que dix-huit ans, et tu devais affronter l'inquiétude de ta famille.

Elle reste silencieuse. J'enroule ses tresses et les épingle sur le dessus. Elle tourne la tête vers moi, le visage baigné de larmes. Je l'embrasse doucement sur le front, le nez, les lèvres.

Nous pénétrons dans la salle de bains. La pièce est spacieuse et très propre, l'*ofuro* est rempli d'eau chaude. Il y a une odeur de bois agréable. Dans un coin sont placés des tabourets bas de cyprès du Japon et des cuvettes en bambou. Les flacons de savon liquide et de shampoing sont disposés près d'un robinet.

Fukiko prend un tabouret et m'invite :

— Assieds-toi ici, c'est mon tour.

Je lui obéis. Elle m'arrose doucement la nuque avec le pommeau de douche. L'eau chaude dégouline et disparaît entre les interstices du plancher de bambou. Mon corps refroidi se réchauffe graduellement. Je répète : « Ah, ça fait du bien. » Elle me demande :

— Tu veux que je te lave aussi les cheveux ?

— Oui, s'il te plaît.

Elle me dit en arrosant mes cheveux courts :

— Cette coiffure te va très bien. Je l'adore. Depuis quand as-tu ce style ?

Je réfléchis et lui réponds :

— Depuis que j'ai commencé mes affaires agricoles.

— Comment Mitsuo a-t-il réagi ?

— Il n'a pas commenté mais m'a semblé un peu déconcerté. Comme les hommes en général, il préfère les femmes aux cheveux longs comme les tiens. Mais, depuis, je me sens très bien, libre et naturelle.

Elle poursuit en étalant du shampoing sur mes cheveux :

— Mon ex-mari était content de mon apparence féminine. Les cheveux longs, le maquillage, la robe... ce que j'aimais et aime toujours. Il me présentait à ses amis avec fierté. Hélas, je n'étais pas faite pour lui !

Je murmure :

— Pauvre de lui...

Elle me lave le dos avec du savon liquide.

— Fukiko, tu attires tous les hommes, y compris Mitsuo.

— C'est flatteur !

— Cela inquiète ma mère. Elle me pousse à être plus féminine.

Fukiko réplique sur un ton ironique :

— Ah bon ? Elle serait rassurée si elle savait la raison de mon divorce.

C'est mon tour. Je la laisse s'asseoir sur le tabouret bas. Debout derrière elle, j'arrose ses épaules. Les tresses relevées, sa nuque blanche apparaît. Là, je remarque un petit grain de beauté noir que je n'avais pas aperçu tout à l'heure. Je caresse ce point noir du bout du majeur. Elle reste immobile. Je lui enduis soigneusement le dos de savon liquide et le lave avec une serviette. Nous ne nous parlons pas pendant un moment. Quand j'ai terminé, je lui propose :

— Si on se lavait en même temps ?

Elle acquiesce de la tête et se lève du tabouret. Nous sommes en face l'une de l'autre. Nos tailles sont presque identiques. Elle est toujours émue.

J'enveloppe ses joues de mes mains :

— Si tu pleures, je te torturerai encore avec une autre chanson.

Elle sourit enfin. Chacune prend du savon liquide dans ses mains et le met doucement sur l'autre. Le savon mousse bien. Alors que je lave sa poitrine, elle lave mon ventre et mes hanches. Nous le faisons tour à tour. Quand je caresse ses seins, elle me surprend en me savonnant le bas-ventre. Sa main remue délicatement autour de mes parties sensibles. Malgré moi, je crie et me tortille. Soudain, elle m'embrasse sur la bouche.

Nous retournons en *yukata* dans notre chambre.

La table basse est déjà rangée dans un coin. Dessus, il y a deux verres et une bouteille d'eau. Deux futons sont étendus, séparés d'environ un mètre. Immédiatement, nous les joignons ensemble pour former un seul grand lit.

Nous apportons la bouteille d'eau et les verres dans la petite pièce qui donne sur la mer. Assises dans les fauteuils, nous nous désaltérons. J'ai encore le corps frémissant de nos caresses.

— Atsuko, je ne peux plus imaginer ma vie sans toi.

Je touche sa main. Après un moment de silence, elle ajoute :

— Depuis que je suis venue à ta ferme, ma vie n'est plus comme avant. Chaque matin, je me réveille joyeuse.

Je serre sa main en me rappelant le jour où Fukiko s'est présentée pour la première fois. Des retrouvailles totalement inattendues.

J'ai été troublée. Malgré cela, j'ai finalement accepté de l'engager. Depuis, ma vie aussi est différente. Je suis sûre que Mitsuo éprouvait quelque chose de semblable pendant qu'il fréquentait sa maîtresse.

Fukiko murmure :

— Vingt-deux ans de mariage... Je ne sais pas comment cela a pu durer si longtemps. Ce qui est certain, c'est que je ne t'avais jamais oubliée.

Je serre sa main plus fort.

Nous contemplons les lumières des maisons autour du petit port. Dans ma tête passe l'intermezzo de *Carmen*. Je revois Fukiko me tendre le cahier en me disant : « Je souhaitais avoir une amie comme toi. »

Je lui pose une question indiscrète :

— As-tu jamais trompé ton ex-mari ?

— Non, je n'ai rencontré personne comme toi. De toute façon, j'étais trop prise, d'abord par mes enfants, puis par ma belle-mère malade. Et toi, Atsuko, as-tu jamais trompé ton mari ?

— Non, mais Mitsuo, oui.

Elle écarquille les yeux :

— C'est étonnant ! Tu me dis qu'il rentre tous les jours vers six heures du soir et passe beaucoup de temps avec vous.

— Il a changé ses habitudes après sa liaison.

— Ah bon ?

Je lui raconte pour la première fois sa relation amoureuse avec une ancienne amie d'école. Elle réagit aussitôt :

— Hein, c'est comme nous maintenant !

— Ironiquement.

Elle m'interroge :

— Pourquoi a-t-il rompu ?

— Je lui ai proposé une séparation. Il a été choqué.

— Cela ne m'étonne pas, dit Fukiko. La plupart des hommes ont des aventures, mais ils n'envisagent pas facilement le divorce. J'imagine que mon ex-mari était pareil. En fait, j'ai souvent été courtisée par ses amis mariés.

Distraite, je songe à Mitsuo. Fukiko me demande :

— Comptais-tu sérieusement le quitter ? Ou bien était-ce une sorte de menace ?

— Les deux, probablement. L'important, c'était que les enfants voient leur père régulièrement.

Je lui explique qu'à ce moment-là Mitsuo était très occupé par son travail à la revue *N.*, alors que je me lançais dans les affaires agricoles. Ma fille et mon fils, qui adorent la nature comme moi, me suivaient au village le week-end. Mitsuo ne nous rejoignait là-bas que rarement. Je prévoyais déjà d'y vivre avec les enfants.

Fukiko m'écoute sans m'interrompre. Je poursuis :

— Et un jour, j'ai appris son aventure par un coup de téléphone anonyme. Je suis passée devant chez sa maîtresse. C'était une femme superbe et sensuelle.

— Que faisait-elle ?

— Serveuse de café. Sans être mariée, elle avait un enfant. Ces détails importaient peu pour moi. Son image mystérieuse m'a tourmentée longtemps. Elle te ressemble d'ailleurs.

— À moi ? As-tu eu le coup de foudre pour elle ?

Cette remarque m'interloque. Malgré moi, je ris :

— Moi, le coup de foudre pour la maîtresse de mon mari ?!

Fukiko me taquine :

— Si oui, je serais très jalouse d'elle !

Nous parlons comme des adolescentes. Je lui dis :

— En fait, je voulais connaître les véritables intentions de Mitsuo.

Fukiko résume en murmurant :

— Ton mari a renoncé à sa maîtresse, déménagé au village pour toi et vos enfants et même démissionné d'une grande revue...

Sa voix s'affaiblit. Elle est sans doute attristée par la différence de nos situations : elle est divorcée alors que je suis encore mariée à un homme qui a fait énormément de sacrifices pour que sa famille reste unie.

Je regarde vers le port où scintillent des lumières de maisons.

Il est presque onze heures. Fukiko a l'air fatiguée. Je l'invite :

— On va se coucher maintenant.

Elle fait un signe de tête. Nous retournons dans la chambre à tatamis où sont étalés nos futons joints comme ceux d'un couple.

— Fukiko, arrêtons de trop réfléchir. Il faut bien dormir pour demain.

Nous nous fixons quelques instants. Je commence à dénouer son *obi* et quand j'ai terminé, elle défait le mien. Nos *yukata* sont tombés sur les tatamis. Nous nous embrassons.

Le lundi soir, Fukiko et moi revenons de l'île de Sado.

À la gare de Nagoya, chacune prend un train local. Je vais jusqu'à la gare de M. Au moment de me quitter, Fukiko se rend compte qu'elle a perdu son bracelet, cadeau de sa fille. Elle me reproche d'un ton taquin : « J'ai perdu la tête à cause de toi ! »

La nuit tombe. Le train est bondé de salariés qui rentrent à la maison. Fatigués par une longue journée, certains somnolent en dodelinant de la tête. J'imagine leurs femmes lasses d'attendre le retour de leur mari, comme je l'étais autrefois.

Avant notre mariage, Mitsuo me répétait avec assurance que je deviendrais une bonne mère, sage, douce mais ferme. Je le suis maintenant, je crois. Et lui, il est devenu un bon papa, comme je m'y attendais. Nous dormons ensemble, nous discutons amicalement. Malgré tout, j'envisageais parfois de me séparer de lui, même avant son aventure amoureuse. Ce n'était pas seulement une question de goûts différents. Je sentais qu'il manquait quelque chose de fondamental entre nous. Probablement la chimie qui soude deux êtres, celle que Fukiko a évoquée.

Le train approche de M. Je sors mon portable et téléphone chez nous. Mitsuo répond :

— Ah, tu es en route ! Dans quinze minutes ? Je pars te chercher à l'instant.

Sa voix est paisible. Il ajoute que les enfants sont encore debout et attendent mon retour avec impatience.

Le train arrive à la gare de M.

En sortant du guichet, j'aperçois déjà notre voiture se dirigeant vers moi. Mitsuo agite la main pour me faire signe. Bien que mal à l'aise, je tente de lui sourire. La voiture s'arrête devant moi. Il descend et met ma valise dans le coffre.

— Tu as aimé ton voyage ?

Je réponds machinalement :

— Oui, tout était parfait.

— Fukiko était contente ?

— Oui.

Avant qu'il ne me pose encore d'autres questions, je lui demande :

— Comment a été ta visite à Kyoto ? Les enfants se sont-ils bien amusés ?

— Oui, cela a été très agréable ! Ils te raconteront eux-mêmes.

La voiture démarre. Mitsuo bavarde pendant les quinze minutes du trajet jusqu'à la maison. Il me relate fièrement le déroulement de la cérémonie de remise des prix d'Histoire régionale, dont il était un des lauréats. Je détourne les yeux vers la fenêtre d'où je ne vois rien dans le noir. Je pense à Fukiko, à nos étreintes, à nos caresses, à nos conversations intimes... Mon cœur se met à battre.

Nous arrivons à la maison. Ma fille et mon fils m'accueillent :

— Maman ! Tu nous as beaucoup manqué !

Nous nous installons dans le salon. Je sors de ma valise une boîte de sucreries que j'ai achetée dans un magasin à côté de notre *ryokan*. Un souvenir sans grande originalité. Ma fille apporte des tasses de thé.

Mitsuo me montre le certificat encadré sur lequel sont inscrits son nom et celui du prix. Excités, les enfants me racontent la cérémonie et leur visite ensuite au musée. Il me semble que tout s'est très bien passé à Kyoto. Ma fille me déclare joyeusement :

— Papa a fait un discours touchant, te remerciant !

Je me tourne vers Mitsuo :

— Qu'as-tu dit ?

— Attends un moment.

Il va dans sa chambre et revient avec une feuille de papier. En se rassoyant, il m'explique :

— J'avais préparé un texte à l'avance. En fait, je l'ai composé le soir où tu es partie pour l'île de Sado.

Je baisse les yeux. Je revois Fukiko me tendre notre cahier dans l'autocar. Un peu gêné, Mitsuo lit son allocution :

— Ce livre regroupe des articles publiés dans *Azami*. Chaque fois que je fais des recherches sur le patrimoine culturel de notre région, j'en discute avec ma femme Atsuko, qui me pose des questions toujours pertinentes. Ses commentaires me stimulent beaucoup. Il en résulte que je réussis à rédiger des articles qui ont du contenu et en même temps qui plaisent apparemment aux lecteurs. Je remercie infiniment ma femme et partage ce prix prestigieux avec elle, ainsi qu'avec ma fille et mon fils.

Les enfants applaudissent en poussant des cris joyeux. Le geste de Mitsuo m'émeut, mais je ne suis pas capable d'exprimer mes sentiments avec franchise. Je souris faiblement :

— Merci, mon chéri, c'est gentil à toi.

Mon fils me propose :

— Maman, c'est ton tour. Raconte-nous ton voyage avec madame Enju.

Ma fille m'encourage :

— J'ai hâte de savoir comment était l'île de Sado. Le *ryokan* vous a-t-il plu ?

Je n'ai aucune envie d'en parler. Il est déjà neuf heures.

— Non, pas maintenant. Il est trop tard. Demain, vous avez école, il faut aller vous coucher.

Déçus, ils sortent du salon. Je me mets à débarrasser les tasses et la boîte de sucreries. Mitsuo m'arrête doucement :

— Je m'en occupe. Prends une douche maintenant, je t'attendrai au lit.

Son visage est tendre. Je me dis : « Il m'invite à faire l'amour ce soir. » Je tente de lui répondre, mais les lèvres raidies, je ne peux prononcer aucun mot. Il insiste :

— Dépêche-toi, Atsuko. Il faut qu'on se lève tôt demain matin.

Il est plus malin que moi, pensé-je. Pendant l'été où il a eu sa liaison, il se conduisait normalement devant moi, ou plutôt plus gentiment que d'habitude. Il était même devenu compréhensif pour mes affaires agricoles. Trop occupée, j'étais probablement insensible à ces changements.

— Ce matin, j'ai pris un bain au *ryokan*, réponds-je enfin.

— Un bain dans la matinée ?

— Pourquoi pas ? C'était une grande baignoire familiale que j'adore. J'ai voulu en profiter encore avant notre petit-déjeuner.

Il me fixe un moment. Je détourne les yeux. L'air déconcerté, il me demande :

— Je t'ai dit quelque chose qui t'agace ?

— Non, mon chéri. Seulement, j'ai besoin de me reposer ce soir.

— Je comprends.

Il est apparemment déçu. Nous nous taisons. Un silence contraint s'installe entre nous. Je murmure :

— Mitsuo...

— Oui ?

— Il reste une chose à régler le plus tôt possible. Cela me préoccupe depuis plusieurs mois.

— Une chose à régler ? De quoi s'agit-il ?

— Le bosquet de bambous.

L'air perdu, il répète :

— Le bosquet de bambous ?

— Oui. Il est maintenant en désordre. C'est le temps de le nettoyer.

— Mais tu l'adores tel qu'il est. Ça te rappelle ton père. Que veux-tu en faire ?

— Il faut déraciner les vieux bambous afin que les nouveaux puissent pousser librement.

— Cela coûtera cher, j'imagine.

— Oui, mon chéri. Mais cette opération est nécessaire pour l'avenir de ce terrain.

Il semble toujours interloqué. Encore un silence tendu. Et brusquement, il m'interroge :

— As-tu pu vraiment profiter de ton voyage avec Fukiko ?

Nue, je me tiens debout dans la salle de dés-habillage. Je ne vois pas Fukiko. Où est-elle ? J'entre dans la salle de bains. La vapeur se dissipe et une silhouette élancée apparaît. Je me réjouis : « Ah, elle est là ! »

J'entends une mélodie jouée par la harpe. C'est le début de l'intermezzo de *Carmen*. Fukiko se lève. Son corps et ses bras ondulent gracieusement au rythme de la musique. Ses longs cheveux sont tressés et retenus par un ruban vert jaunâtre. La flûte commence. Je marche sur le plancher de bambou. Fukiko ne s'aperçoit pas de ma présence et continue à danser.

Je me nettoie et entre dans l'eau chaude profonde. Plongée jusqu'au cou, je m'approche d'elle sans faire de bruit. Me relevant, je l'entoure par derrière de mes bras. Je baise son cou doucement. Elle émet un petit cri joyeux. Nos peaux se collent l'une à l'autre. Je défais ses tresses. Ses longs cheveux noirs se répandent sur son dos. Je chuchote à son oreille : « Fukiko... » Elle se tourne et m'enlace.

Je somnole. J'ai le corps chaud. Soudain, une main hésitante glisse sur ma poitrine sous mon pyjama. Elle caresse mes seins puis descend lentement vers mon pubis. Je suis embrouillée. Suis-je dans le rêve ou dans la réalité ?

Je sens une odeur familière. Mitsuo est sur mon futon. Son corps est aussi chaud que le mien. Son sexe dur touche ma cuisse. Il se met à baisser ma culotte. Les yeux fermés, je feins de m'endormir. Il monte sur moi. Aussitôt, il entre en moi et se met à bouger les reins. Sa respiration devient courte.

Mitsuo s'éteint sur moi. Je pense à Fukiko.

Fukiko et moi travaillons constamment ensemble à ma ferme Tomo.

Depuis notre voyage à l'île de Sado, nous devenons de plus en plus proches et intimes. C'est un vrai bonheur pour moi d'être auprès d'elle. Notre chance, c'est que nous n'avons pas besoin de sortir pour nous rencontrer. En semaine, elle vient à neuf heures du matin et repart à quatre heures du soir. Lors du repas de midi, nous sommes toutes les deux seules chez moi. Puisque la porte est fermée à clé, personne ne nous dérange. Si quelqu'un y vient, il imagine que nous sommes parties pour un restaurant ou ailleurs.

Nous avons fait un autre voyage peu après celui à l'île de Sado. Cette fois-ci, nous avons visité G., un village situé près de Kyoto. Ce n'était que pour une journée, aller-retour en *shinkansen*, mais nous étions très heureuses.

Le but de cette sortie était de rencontrer l'oncle de Fukiko, monsieur Yada. C'est le père de sa cousine qui s'est suicidée. Lui et sa femme ont emménagé dans ce village il y a quinze ans et commencé à cultiver des pousses de bambous. Fukiko m'a raconté que, la sachant homosexuelle, son oncle l'avait félicitée pour son divorce. Il était également content de savoir que sa nièce avait enfin trouvé un emploi dans une ferme.

Monsieur Yada m'a montré sa merveilleuse forêt de bambous. Il m'a expliqué comment ils ont réussi à aménager le terrain, complètement sauvage et à l'abandon depuis des années.

Il faisait beau et doux. Le couple a proposé que Fukiko et moi fassions une promenade pendant qu'ils prépareraient le déjeuner. Dans la forêt, nous avons fait l'amour en toute quiétude. Les bambous vert brillant, le ciel bleu, la lumière du soleil pénétrant entre les feuilles fraîches... Nous sommes restées enlacées, sans échanger un mot.

Au retour de Kyoto, un petit incident gênant est survenu.

Mitsuo m'a dit :

— On a reçu un appel de l'île de Sado. C'était la patronne du *ryokan* où vous êtes descendues.

Sans savoir de quoi il s'agissait, j'ai été agitée :

— Pourquoi a-t-elle téléphoné ici ?

— Une *nakaï* a trouvé un bracelet dans la salle de déshabillage.

Troublée, j'ai revu le visage de Tomi. J'ai répondu :

— C'est à Fukiko.

— Dans ce cas, elle doit rappeler la patronne.

— Je vais l'informer tout de suite. Elle croyait l'avoir perdu. Elle sera soulagée, car c'est un cadeau de sa fille.

Il a continué :

— La patronne m'a dit « madame Atsuko Kawano et sa sœur ». Pourquoi avez-vous menti au *ryokan* ?

J'ai bégayé :

— Pour prendre une seule chambre. C'était cher là-bas.

Il m'a regardée dans les yeux :

— Vous avez dormi dans la même pièce ?

J'ai baissé les yeux :

— Naturellement.

Il a ri spontanément :

— Avais-tu peur qu'on vous prenne pour un couple, Fukiko et toi ?

En apparence, le temps passe paisiblement. Les enfants vont bien, les affaires de Mitsuo et les miennes progressent. Je souhaiterais que la vie continue ainsi sans rien dévoiler de ma liaison avec Fukiko, mais je doute d'y arriver. Ma solution ne sera évidemment pas celle de Mitsuo qui s'est séparé de sa maîtresse pour ne pas briser sa famille. Je me demande comment il réagirait s'il apprenait ce qui se passe entre Fukiko et moi.

Je ne veux plus faire l'amour avec Mitsuo.

C'est samedi. Il est une heure de l'après-midi. Je viens de terminer de déjeuner avec ma famille.

Seule, je me repose au salon. Les enfants sont allés participer à des activités sportives au village. Mitsuo travaille dans sa chambre : il rédige un article pour sa revue, dont le prochain numéro doit sortir dans une semaine. À la radio, on passe la *Symphonie pathétique* de Tchaïkovski.

Avant-hier, c'était la dernière récolte de pousses de bambou. Toutes ont été vendues aux restaurants et boutiques de légumes habituels.

Pendant les trois jours de travaux manuels, j'étais principalement avec Fukiko, le vieux couple voisin et ma mère. Les enfants nous rejoignaient après l'école. Mon fils a impressionné tout le monde en manipulant sa houe avec dextérité. Quant à Mitsuo, il a passé une journée entière avec nous. Il était toujours maladroit. Le vieil homme le taquinait : « Tu es vraiment un citadin ! Pour toi, ta plume doit être la chose la plus lourde du monde. »

C'était la deuxième rencontre entre mon mari et Fukiko depuis le dîner de bienvenue au restaurant de monsieur R. Cette fois-ci, Mitsuo était manifestement ravi sinon excité de revoir Fukiko. Chaque fois qu'il lui adressait la parole, elle lui répondait avec un minimum de mots. Ignorant tout de leur divorce, il lui posait des questions sur monsieur Enju qui adore sa revue. J'observais Mitsuo en me demandant : « Sa relation sexuelle avec sa maîtresse était-elle aussi passionnée que la mienne avec Fukiko ? »

Le téléphone sonne. C'est ma mère.

— J'ai été étonnée, Atsuko.

— Par quoi ?

— Je parle de madame Enju. Je comprends maintenant pourquoi tu es si contente d'elle.

Ces paroles m'ébranlent. Je me dis : « Maman connaît notre relation ? Non, ce n'est pas possible... » Elle reprend sur un ton de badinage :

— Ta voisine rapporte que madame Enju et toi travaillez harmonieusement. C'est bien, ça ! Ton père avait toujours du mal à trouver de bons employés.

Je suis soulagée :

— Maman, j'ai vraiment de la chance d'avoir une personne aussi efficace et fiable.

— En effet. J'espère que madame Enju restera à ta ferme le plus longtemps possible. Mais...

— Mais quoi ?

— Tu n'es pas jalouse d'elle ?

— Non. Pourquoi ?

— Je te répète, tu dois être plus consciente de la coquetterie féminine. L'autre jour, j'ai remarqué que ton voisin et Mitsuo lui lançaient sans cesse des regards admiratifs, comme tous les hommes au restaurant de monsieur R.

— Tu t'inquiètes encore pour moi ? Ça suffit !

— Atsuko, il faut que tu sois réaliste à ce propos. Je ne veux pas que tu souffres parce que Mitsuo te trompe encore.

La symphonie de Tchaïkovski continue. Maintenant, ma mère parle d'un tailleur qui a récemment ouvert dans son quartier. Il est hors de question de lui dévoiler ma relation avec Fukiko. Elle serait choquée par le fait que je désire une femme, ce qui est probablement plus grave à ses yeux que mon adultère lui-même.

— Atsuko, quand arranges-tu cela ?

Je reviens à moi. Embrouillée, je répète :

— Arranger quoi ?

— Tu ne m'écoutes pas ! Je parle du terrain de bambous. Il est vraiment temps de le nettoyer. Tu dois le faire sans tarder. Sinon, l'opération deviendra plus compliquée et onéreuse.

Je pense à ma situation avec Fukiko. Ma mère m'interroge encore :

— Ça coûtera cher ?

— Oui. J'envisage d'emprunter de nouveau de l'argent à la banque.

— Tu pourrais hypothéquer ma maison.

— C'est généreux, maman. Je vais d'abord en discuter avec Mitsuo.

La gorge serrée, je me tais. Avant de raccrocher, elle me demande :

— Pourquoi écoutes-tu une musique aussi tragique ?!

Notre repas de midi est prêt. J'invite Fukiko, comme d'habitude, à entrer dans ma maison. Ce matin, très occupées au bureau et dans la serre, nous n'avons pas eu beaucoup le temps de parler. J'ai hâte de nous reposer ensemble dans la tranquillité.

Au dessert, alors que nous prenons du gâteau aux fruits avec du thé, Fukiko me fait une proposition inattendue.

— J'aimerais participer à ton projet.

— Mon projet ?

— Oui, le réaménagement du terrain de bambous. Pourrais-tu m'accepter comme investisseuse ?

— Comme associée ?

Elle hoche la tête. Je ne sais que répondre. En fait, je viens de discuter avec Mitsuo de la possibilité d'hypothéquer ce terrain. Il m'a dit : « J'ai confiance en toi. Fais ce que tu veux. » Fukiko m'explique :

— J'ai reçu une somme importante de notre divorce, beaucoup plus que je ne m'y attendais. Mon ex-mari m'est reconnaissant des soins que j'ai donnés à sa mère malade jusqu'à sa mort. Je voudrais en investir une partie, et j'ai pensé à ton projet.

Elle me regarde, sérieuse. Je réfléchis. Elle attend ma réponse sans insister.

— D'accord, dis-je enfin. Être partenaires, cela me mettrait plus à l'aise pour travailler avec toi.

Bien que ce soit une bonne nouvelle, je demeure encore pensive. Elle comprend mon inquiétude.

— J'espère que ton mari acceptera cette idée.

— Mitsuo ? Cela ne causera pas de problème. Au contraire, il sera content pour moi, tant qu'il...

Je m'arrête. Elle complète ma phrase :

— Tant qu'il ne connaîtra pas notre relation.

— Il me faudra lui avouer la vérité.

Elle secoue la tête :

— Ici, la vérité n'est pas la priorité. Il n'est pas important pour moi que notre relation soit connue de notre entourage.

— Je comprends, pourtant...

Nous nous taisons. Je songe à la tragédie de sa cousine, coincée par sa petite amie qui exigeait que leur relation soit dévoilée publiquement.

— Atsuko, désolée de t'avoir mise dans une situation compliquée. Je suis retombée

amoureuse de toi, et je ne le regretterai jamais.
Personne n'a le droit de me juger là-dessus.
Mais, crois-moi, je ne suis pas venue dans ta
vie pour détruire ton mariage.

— Je le sais bien, Fukiko. Ce n'est la faute
de personne.

Je respire profondément et reprends :

— J'aimerais bien être honnête avec mon
mari. C'est un homme bon.

Elle me réplique :

— Même s'il t'a trompée ? Si tu n'avais
pas reçu un appel anonyme te révélant son
adultère, il aurait poursuivi cette relation.

— Probablement. Mais, à cette époque-
là, nous étions *sex-less*. Étant un homme en
santé, il était naturellement tenté de satisfaire
son désir.

— Alors, c'était vraiment une aventure
pour lui.

— Qui sait s'il était sérieux ou non ? Quoi
qu'il en soit, il a décidé de reprendre notre vie
conjugale et familiale. Malheureusement, mon
cœur n'est plus avec lui. Je dois lui avouer mes
sentiments.

— Ce sera dur pour lui.

— Sans doute, mais c'est mieux pour lui
et moi. Et finalement pour toi et moi. C'est
ce que je crois.

Je me promène seule au milieu du bosquet de bambous.

Les moineaux pépient. Je m'arrête un instant devant une vieille plante entourée de camélias en fleur. Le contraste entre leurs couleurs, gris et rouge, me frappe toujours. Il évoque pour moi le passé et l'avenir, la vieillesse et la jeunesse, la routine et le changement. Je lève les yeux vers le ciel bleu entre les feuilles. Une brise douce souffle. Je chuchote : « Papa, je suis fermière ! »

C'est samedi. Il est environ cinq heures et demie du soir.

Ce matin, j'étais débordée par la livraison des boîtes d'épinards à mes clients. Il y en avait une grande quantité. Mon fils m'a accompagnée dans la camionnette et m'a aidée comme un grand. Seule à la maison, ma fille a fait la vaisselle et le ménage. Ensuite, les enfants sont partis pour M. voir un film. Quant à Mitsuo, il est allé à Nagoya pour interviewer un archéologue, puis acheter des livres à sa librairie favorite. Aucun des trois n'est de retour.

En flânant parmi les bambous, je pense sans cesse à Mitsuo.

Il a quitté la maison tôt ce matin alors que les enfants étaient encore au lit. Je l'ai suivi jusqu'à sa voiture, garée à côté du hangar. Il m'a demandé :

— Ai-je oublié quelque chose ?

— Non, mais j'ai quelque chose à te donner.

Il m'a fixée, curieux. J'ai sorti une enveloppe de la pochette de mon tablier. En la lui tendant, j'ai dit :

— C'est une lettre que j'ai écrite hier soir.

— Une lettre ? Pour moi ?

— Oui. Peux-tu la lire aujourd'hui, peut-être après ton interview ?

Il m'a taquinée :

— J'espère que c'est une lettre d'amour !

J'ai secoué la tête.

— Quelque chose de sérieux ?

— Oui. Le sujet est délicat. J'ai pu mieux m'exprimer par écrit.

J'avais la voix tremblante. Son visage s'est assombri. L'air perplexe, il me dévisageait. Je me taisais. Il a mis l'enveloppe dans la poche intérieure de sa veste.

— Ce soir, je rentrerai vers six heures et demie.

— D'accord. Conduis prudemment.

La voiture a démarré, j'ai reculé d'un pas. Il a disparu de ma vue sans se retourner.

À cette heure, Mitsuo doit être déjà reparti de Nagoya. Je n'ai pas reçu d'appel de lui depuis ce matin. Je l'imagine lisant ma lettre dans un café après avoir terminé son entrevue avec l'archéologue. Mon message a dû le secouer. Mais, je n'ai aucune idée de sa réaction à son retour. Je me répète ce que je lui ai écrit :

« Cher Mitsuo,
Hier soir, je voulais te parler, mais tu t'es couché tôt. Je comprenais que tu étais fatigué par ta longue journée avant la sortie d'un nouveau numéro. Mais moi, j'avais vraiment besoin de te parler sans tarder. J'ai alors décidé de t'écrire cette lettre.

C'est un sujet sérieux. Autour de moi, personne n'est au courant. Excepté Fukiko. Ne sois pas vexé que mon employée sache avant toi, car cela nous concerne, elle et moi.

Je t'avoue quelque chose de très important. C'est une réalité dérangeante que je veux garder secrète pour tout le monde, sauf pour toi.

J'aime Fukiko et elle m'aime, comme un homme et une femme s'aiment.

Comme je te l'ai déjà raconté, j'ai rencontré Fukiko en dernière année du lycée. Nous avons été amies pendant seulement une année.

Alors que je continuais mes études au *tandaï*, elle s'est mariée.

En réalité, Fukiko et moi nous étions éprises l'une de l'autre, mais je ne savais pas encore ce que cela signifiait. Simplement, je croyais que c'était une amitié forte ou une sorte d'amour platonique. Mais, à la suite de nos retrouvailles après plus de vingt ans, nous sommes redevenues amoureuses l'une de l'autre.

Je ne te l'ai pas encore dit, mais Fukiko a divorcé peu avant notre voyage à l'île de Sado. La raison en était sa sexualité. Son nom de famille est maintenant Yada. Lorsque tu as insisté pour que je voyage avec elle, j'étais embarrassée et excitée à la fois. Je suis tellement désolée, je t'ai trompé.

Crois-moi, mon chéri, j'ai toujours beaucoup d'affection pour toi.

Tu es quelqu'un de bien, honnête et sincère. Je n'ai jamais regretté de t'avoir rencontré et d'avoir eu des enfants avec toi. Au contraire, je suis fière que tu sois leur papa. Je te suis vraiment reconnaissante pour tous tes efforts afin que je puisse travailler sur la ferme. Merci infiniment.

Le problème, c'est moi qui n'ai pas été sûre de moi-même.

Lorsque je suis de nouveau tombée amoureuse de Fukiko, j'étais bouleversée en pensant à toi. Je ne savais que faire. Ma conclusion a été de t'en parler honnêtement comme mon confident le plus important au monde.

Atsuko »

Le soleil est en train de se coucher. Il est déjà six heures et demie. Mitsuo et les enfants sont probablement de retour. Il faut que je prépare le dîner. Je quitte le terrain de bambous.

Je passe entre les pétasites dont les feuilles sont à environ trente centimètres du sol. Ils sont plus solides que je n'espérais. La hauteur de ces plantes peut dépasser un mètre. J'ai hâte de voir les miennes atteindre cette taille. Accroupie, j'observe les larges feuilles couvrant un vaste espace. Je me rappelle les paroles de Mitsuo : « Les tiges demeurent tout le temps sous la terre ? C'est curieux ! »

Soudain, émerge dans ma tête le visage de Mitsuko T. Je me rends compte que j'avais oublié son existence depuis quelque temps. Auparavant, chaque fois que Mitsuo partait pour Nagoya, je repensais, automatiquement et avec un sentiment mélangé, à cette femme sensuelle et mystérieuse. Mais plus maintenant.

Une brise froide souffle. Je me relève pour retourner à la maison. À ce moment, j'aperçois Mitsuo en haut de la pente. Il est revenu de Nagoya.

Il descend le sentier lentement. Je ne peux pas distinguer ses traits. À mesure qu'il se rapproche de moi, mon cœur bat de plus en plus fort. Je me mets à remonter le sentier. Bientôt, nous sommes face à face. Je vois son faible sourire mêlé de larmes. Je ne sais que dire. Il ouvre la bouche le premier :

— Comment vont les *fuki* ?

Je réponds :

— Ils poussent bien. On va les récolter bientôt.

— Tant mieux.

Le silence s'installe. Nous restons immobiles quelques instants.

— Je suis désolée, dis-je enfin.

Il détourne les yeux comme s'il cachait son émotion. Puis, il reprend calmement :

— Les enfants ont faim. On y va ?

Je fais signe de la tête. Il se dirige vers la maison et je le suis. Le soleil a déjà disparu. Un instant, je lève les yeux vers la montagne. Au-dessus monte, pâle, la pleine lune.

Glossaire

Azami : chardon.

Bentô : repas rapide contenu dans un coffret pour emporter.

Enju : espèce d'arbre à feuillage caduc. Sophora du Japon.

Fuki : pétasite.

Fuki-no-tô : tige florale de pétasite.

Fûzoku-ten : établissements de services sexuels.

Hiragana : écriture syllabique japonaise.

Kanji : idéogrammes chinois.

Love-hotel : hôtel où on peut réserver une chambre à l'heure ou à la nuitée pour avoir des relations intimes.

Miso : pâte de soja fermenté.

Mansion : édifice de condos en béton généralement à plus de trois étages.

Nakaï : serveuse dans une auberge japonaise.

Obi : ceinture de kimono.

Ofuro ou *furo* : baignoire japonaise profonde. On se lave à l'extérieur avant de se plonger dans l'eau chaude.

Pink-salon : type d'établissement de services sexuels.

Ryokan : auberge japonaise.

San : suffixe de politesse équivalant à monsieur, madame ou mademoiselle.

Sex-less : sans rapports sexuels. Couple qui ne fait pas l'amour.

Shime-nawa : corde sacrée, constituée de torsades de paille de riz.

Shinkansen : TGV japonais.

Shôsha-man : employé d'une firme commerciale.

Tandaï : institut universitaire offrant des programmes de deux ans.

Yukata : kimono léger de coton (d'été).

OUVRAGE RÉALISÉ PAR
LUC JACQUES, TYPOGRAPHE
ACHEVÉ D'IMPRIMER
EN SEPTEMBRE 2017
SUR LES PRESSES
DE MARQUIS IMPRIMEUR
POUR LE COMPTE DE
LEMÉAC ÉDITEUR, MONTRÉAL

DÉPÔT LÉGAL
1re ÉDITION : 3e TRIMESTRE 2017
(ÉD. 01 / IMP. 01)